새 교육과정 3~4학년 STEAM 과학

안쌤의 최상위 줄기과학

초등 3·1

개념

교과서 핵심 내용을 간결하면서도 이해하기 쉽게 설명해 놓았습니다. 또한, 풍부한 시각 자료가 있어 개념이 확실히 잡히도록 구성하였습니다.

개념 더하기

교과서 개념을 이해하는 데 도움이 되는 설명들로 구성하였습니다.

탐구

단원의 중요 탐구를 제시하여 중요 내신형 탐구 문제를 쉽게 해결할 수 있도록 구성하였습니다.

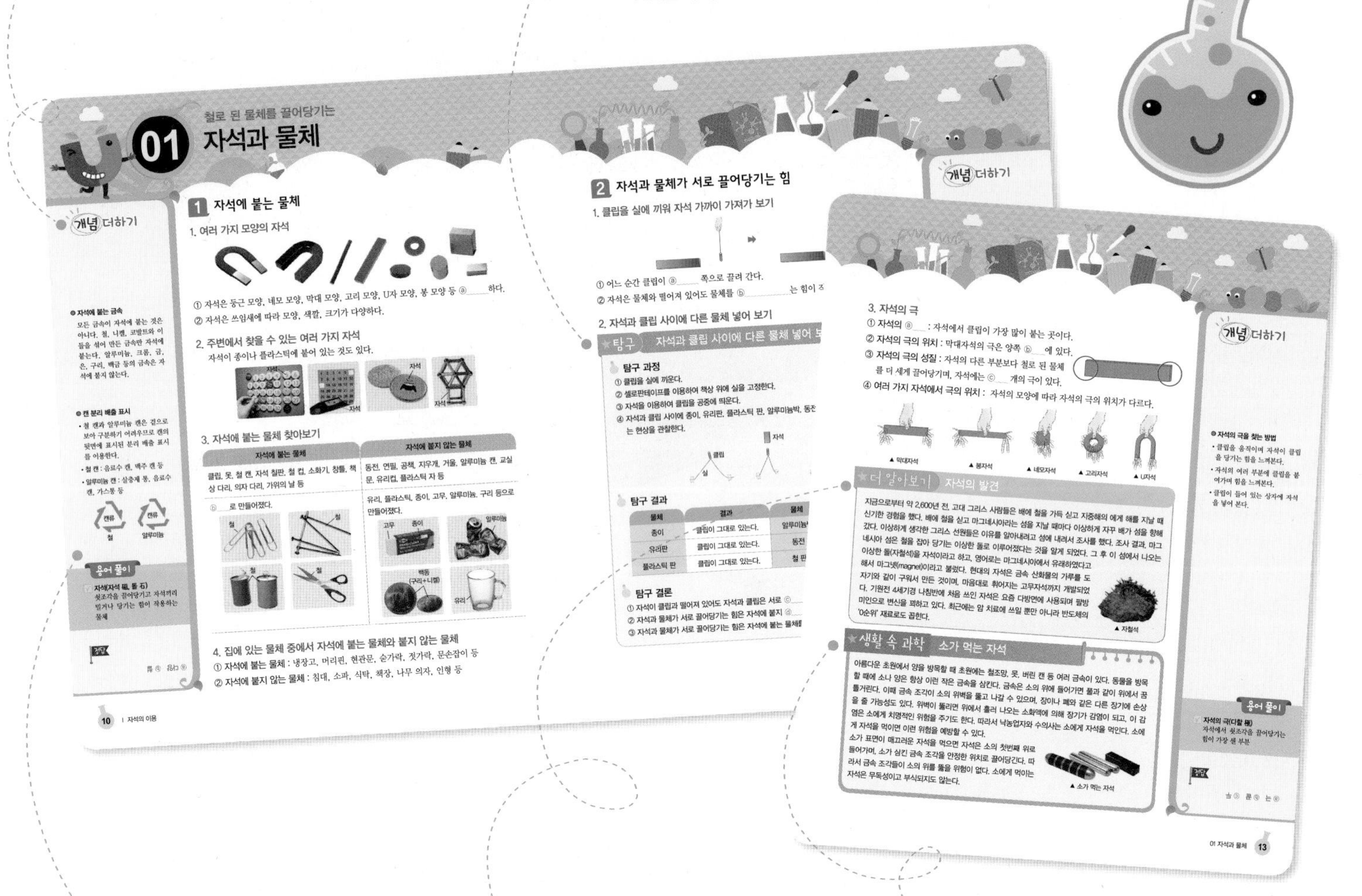

용어 풀이

한자의 뜻을 알면 용어의 뜻을 잘 이해할 수 있어 과학 용어를 잘 기억할 수 있습니다.

더 알아보기

학교 시험에 나올 수 있는 문제를 대비하여 교과서 개념을 응용하거나 적용된 실생활 내용으로 구성하였습니다.

생활 속 과학

새 교육과정의 융합인재교육(STEAM)에서 강조하고 있는 생활 속 과학을 교과서 개념이 적용된 내용으로 구성하였습니다.

문제 구성

교과서 핵심 내용 파악을 확실히 했는지 확인하기 위한 객관식 문제 유형과 서술형 문제 유형을 구성하였습니다. 또한 새 교육과정에서 강조하는 융합인재교육(STEAM)을 위한 융합사고력 문제 유형과 STEAM 실험실로 탐구력 향상 문제 유형을 구성하였습니다.

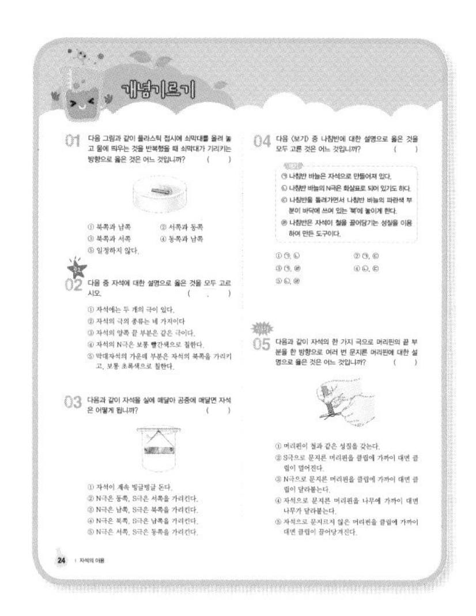

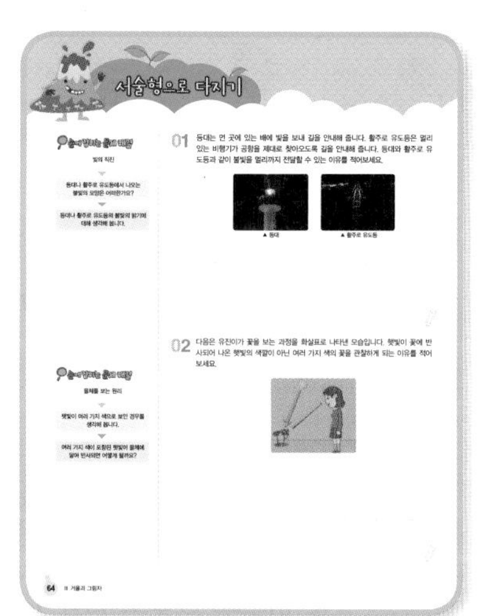

개념 기르기

개념을 확실히 파악했는지 학교 시험에 잘 나올만한 문제를 통해 기초를 튼튼히 기를 수 있도록 구성하였습니다.

서술형으로 다지기

학교 시험에서 마지막에 등장하는 서술형 문제를 집중적으로 연습할 수 있고, 문제를 해결하기 위한 사고의 흐름을 손에 잡히는 문제 해결로 제시하여 문제해결력을 다질 수 있도록 구성하였습니다.

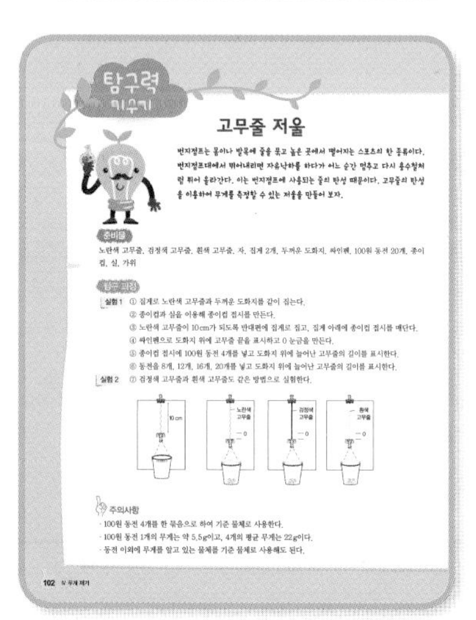

융합사고력 키우기

창의 서술형 평가로 새롭게 등장한 융합형(STEAM) 문제를 대비할 수 있도록, 신문기사(NIE), 실생활 속 제품, 과학사 등의 지문을 이용하여 서술형 문제와 논술형 문제를 넣고, 손에 잡히는 문제 해결로 융합적 사고의 흐름을 제시하여 융합사고력을 키울 수 있도록 구성하였습니다.

탐구력 키우기

새 교육과정으로 등장한 단원별 마무리 STEAM 활동처럼 단원을 STEAM 탐구로 마무리할 수 있도록 구성하였습니다.

문제 구성 속 아이콘

ⓐ 개념 속 빈칸
눈으로만 보는 개념보다 빈칸을 채워가며 완성하는 개념이 학습에 도움이 됩니다. 이를 위해 핵심 개념에 빈 칸을 넣어 구성하였습니다.

정답 개념 속 빈 칸 정답
빈칸을 채워가며 개념을 완성하는 데 정답 확인이 번거롭지 않도록 개념 페이지 하단에 정답을 넣었습니다. 답을 바로바로 확인하면서 개념 페이지를 완성할 수 있습니다.

중요 중요
출제 빈도가 높은 문제에는 중요 아이콘을 표시했습니다. 이 문제는 확실히 이해하고 넘어가도록 합니다.

신유형 신유형
새 교육과정에 맞춰 새롭게 등장한 유형으로 학교 시험 예상 문제입니다.

논술형 논술형
최근 창의 서술형 평가로 새롭게 등장한 논술형 문제를 대비할 수 있도록 구성하였습니다.

차례

자석의 이용

지구의 모습

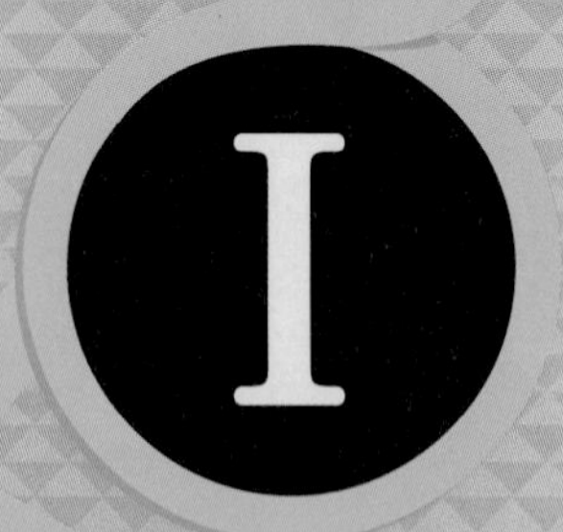

I 물질의 성질

01 물체와 물질

02 물질의 성질 이용

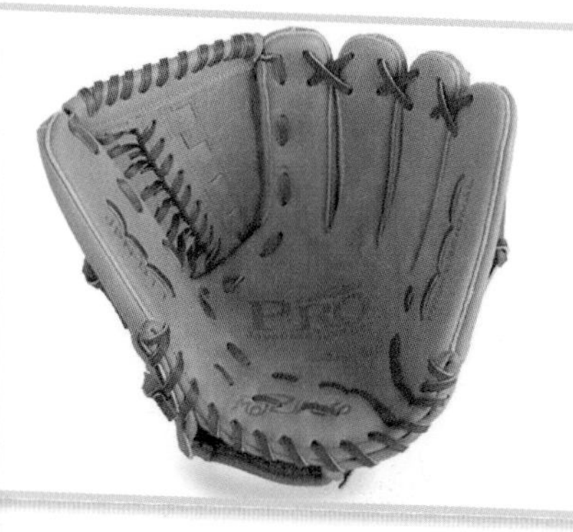

이 단원의 주요 내용

물체와 물질을 구분하고, 우리 주위의 여러 물체가 무엇으로 이루어져 있는지 배운다. 여러 가지 물체와 물질을 특징에 따라 분류하고, 한 가지 물체를 여러 가지 물질로 만드는 이유를 알아본다.

★ 2015 개정 교육과정 교과서

초등 3~4학년 군 :
3학년 1학기 1단원 물질의 성질

★ 다른 학년과의 연계

초등 3~4학년 군 : 물질의 상태, 혼합물의 분리
초등 5~6학년 군 : 여러 가지 기체
중학교 1~3학년 군 : 물질의 구성

물체를 구성하는 물질

01 물체와 물질

1 물체와 물질

1. 물체

① ⓐ______ : 모양이 있고 공간을 차지하고 있는 것 예 옷, 신발, 가방, 장난감 등

★탐구 비밀 상자 속 물체 알아맞히기

탐구 과정

① 한 친구는 눈을 눈가리개로 가리고, 다른 친구는 비밀 상자에 물체를 넣는다.

② 비밀 상자에 손을 넣어 물체를 만져 보면서 무엇인지 짐작해 본다.

탐구 결과 및 결론

① 차갑고 단단하므로 금속 자동차이다.

② 푹신하고 부드러우므로 곰인형이다.

③ 단단하고 가벼우므로 플라스틱 병이다.

④ 말랑하고 모양이 잘 변하므로 고무 오리 인형이다.

⑤ 촉감으로 물체의 특징을 알 수 있으므로 물체를 알아맞힐 수 있다.

2. 물질

① ⓑ______ : 물체를 만드는 재료

예 고무, 나무, 플라스틱, 금속, 섬유, 밀가루, 유리, 종이, 가죽 등

② 물체와 물질의 관계

물체	아령	농구공	운동복	헬멧	야구 방망이
물질	ⓒ______	가죽	섬유	플라스틱	ⓓ______

3. 물질 말판 놀이 하기

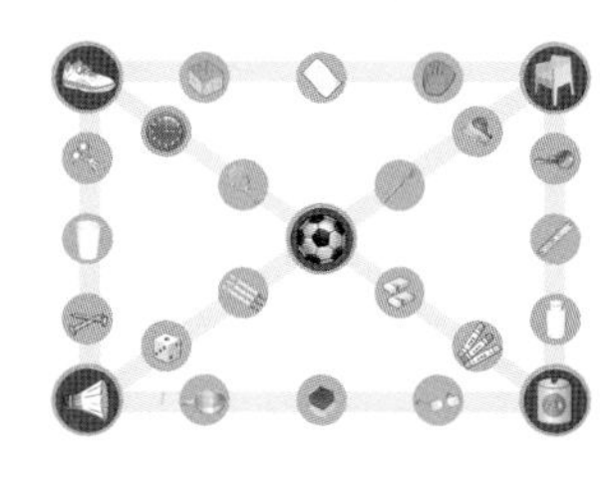

① 주사위를 던져서 나온 숫자만큼 말을 움직이고, 그 자리의 물체가 어떤 물질로 만들어졌는지 이야기한다.

② 답이 맞으면 그 자리에 머물고, 틀리면 이전로 돌아간다.

개념 더하기

● 같은 물질로 이루어진 물체

- 나무 : 책상, 의자, 나무젓가락, 서랍장 등
- 유리 : 창문, 유리컵, 비커, 어항, 유리병 등
- 금속 : 가위, 못, 클립, 냄비 등
- 고무 : 지우개, 고무장갑, 고무줄, 고무풍선 등
- 플라스틱 : 컵, 모양 자, 필통, 집게, 장난감 등
- 종이 : 달력, 책, 공책 등
- 섬유 : 옷, 인형, 양말 등

용어 풀이

✓ 물체(물건 物, 몸 體)
우리 주위에서 모양이 있고 공간을 차지하고 있는 것

✓ 물질(물건 物, 바탕 質)
물체를 만드는 재료

정답

ⓐ 물체 ⓑ 물질 ⓒ 금속 ⓓ 나무

2 물체 분류하기

1. 물체를 분류하는 기준

색깔	빨간색, 파란색, 검은색, 흰색, 보라색 등
모양	세모 모양, 길쭉한 모양, 동그란 모양, 네모 모양 등
크기	큰 것, 중간 것, 작은 것 등
쓰임새	공부할 때, 놀이할 때, 미술할 때, 운동할 때, 요리할 때 등
이루고 있는 물질	고무, 종이, 나무, 철, 플라스틱, 유리 등

2. 다양한 방법으로 물체 분류하기

① 모양에 따른 분류

네모 모양	공책, 지우개, 주사위 등
동그란 모양	구슬, 쇠고리, 풍선 등
길쭉한 모양	연필, 자, 볼펜 등

② 쓰임새에 따른 분류

공부할 때	연필, 공책, 지우개 등
미술할 때	크레파스, 물감, 붓 등
놀이할 때	구슬, 풍선, 주사위 등

③ 물체를 이루고 있는 물질에 따른 분류

나무	ⓐ______	유리	ⓑ______	금속	플라스틱
연필, 책상	색종이, 공책	구슬, 비커	지우개, 풍선	쇠고리	주사위, 자, 가위

④ 물체를 이루고 있는 물질의 수에 따라 분류하기

• 한 가지 물질로 이루어진 물체

물체	색종이	구슬	지우개	주사위	쇠고리
물질	종이	유리	고무	ⓒ______	금속 또는 철

• 두 가지 이상의 물질로 이루어진 물체

물체	연필	집게	가위	노트	볼펜
물질	나무, ⓓ______	금속, 플라스틱	금속, 플라스틱	종이, 금속	금속, 플라스틱

개념 더하기

● 흑연
연필심 등에 주로 사용되며, 검은색을 띤다.

용어 풀이

분류(나눌 分, 무리 類)
여러 가지 중에서 같은 성질을 가진 것끼리 갈라 놓은 것

ⓐ 종이 ⓑ 고무 ⓒ 플라스틱 ⓓ 흑연

01 물체와 물질

3 물질의 성질

1. 물질의 다양한 성질

① 물체를 이루고 있는 물질은 저마다 독특한 성질을 가지고 있다.

② 물질이 가지고 있는 성질 : 단단한 정도, 색깔, 냄새, 맛, 구부러지는 정도, 만졌을 때의 느낌, 물에 뜨는 정도 등

2. 물질의 성질 비교

탐구 물질의 성질 비교하기

탐구 과정

① 철 막대, 나무 막대, 플라스틱 막대, 고무 막대를 각각 서로 긁어 보고, 단단한 정도를 비교해 본다.

② 네 가지 막대를 각각 휘어 보고, 구부러지는 정도를 비교해 본다.

③ 물이 담긴 수조에 네 가지 막대를 넣어 보고, 물에 뜨는 막대와 가라앉는 막대를 찾아본다.

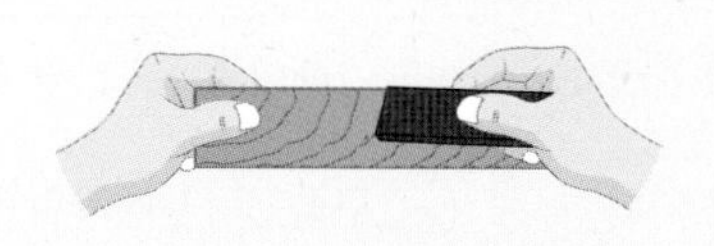
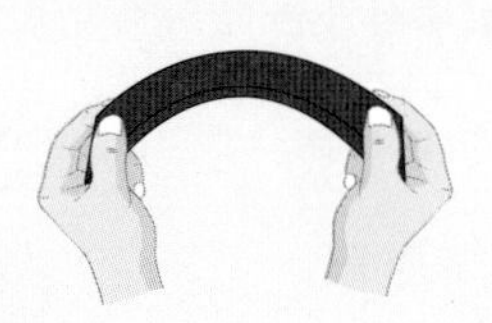

탐구 결과 및 결론

① ⓐ___ 막대가 가장 긁히지 않고, 고무 막대가 가장 잘 긁힌다.

철 막대 | 플라스틱 막대 | 나무 막대 | 고무 막대

② 단단한 정도 : 철 > 플라스틱 > 나무 > 고무

③ ⓑ_____ 막대가 가장 잘 구부러지고, 철 막대가 가장 구부러지지 않는다.

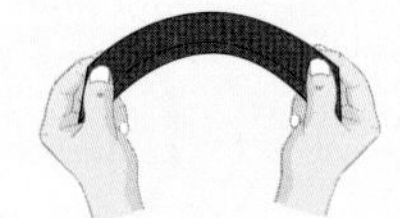
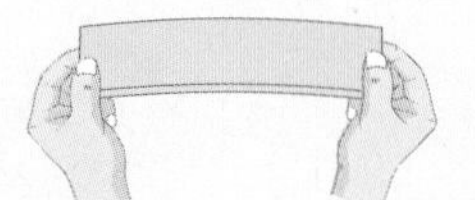
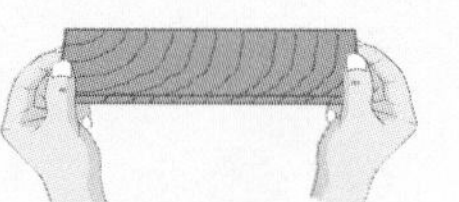
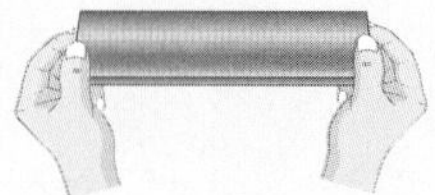

④ 구부러지는 정도 : 고무 > 플라스틱 > 나무 > 철

⑤ 나무와 플라스틱은 물에 ⓒ___ 고, 철과 고무는 물에 가라앉는다.

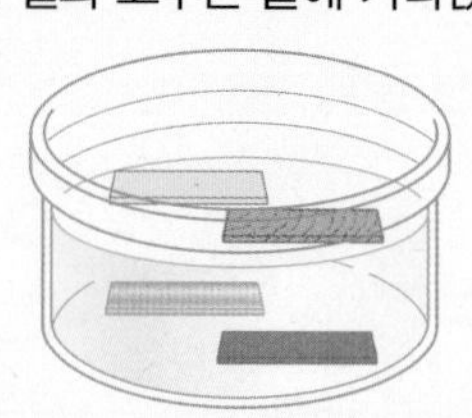

⑥ 물질마다 가지고 있는 성질이 다르다.

개념 더하기

● 금속의 단단한 정도

일반적으로 철과 같은 금속 물질은 단단하고 잘 구부러지지 않는다. 그러나 금속 중 구리나 금 등은 잘 구부러지고 유연한 성질을 가지고 있다.

● 물에 뜨는 물질과 가라앉는 물질

• 물에 뜨는 물질 : 가볍고, 무게에 비해 부피가 크다.

• 물에 가라앉는 물질 : 무겁고, 무게에 비해 부피가 작다.

용어 풀이

유연(부드러울 柔, 연할 軟)
딱딱하지 않고 부드러움

플라스틱(plastic)
가볍고 튼튼하며 열과 압력을 가하면 어떤 모양이든 만들어 낼 수 있는 물질

정답

ⓐ 철 ⓑ 고무 ⓒ 뜨

3. 물질의 성질과 쓰임새

① **쓰임새** : 물질의 성질에 따라 물체가 이용되는 경우

② 물질이 지닌 ⓐ______에 따라 쓰임새가 결정된다.

물질	물질의 성질	물질의 쓰임새
나무	• 단단하고 가볍다. • 고유한 무늬가 있고 나무향이 있다. • 가공하기 쉽다.	연필, 책상, 젓가락
ⓑ______	• 단단하고 가볍다. • 다양한 모양으로 만들기 쉽다.	장난감, 페트병, 필통
금속	• 단단하다. • 광택이 있다.	펜치, 망치, 못
유리	• 투명하여 속이 잘 보인다.	컵, 창문, 안경알
ⓒ______	• 쉽게 구부러진다. • 늘어났다가 다시 되돌아간다. • 잘 미끄러지지 않는다.	풍선, 고무밴드, 고무장갑
종이	• 가볍고 글씨가 잘 써진다. • 잘 접힌다.	책, 수첩, 색종이
가죽	• 부드러우면서 질기다.	가방, 장갑, 야구 글러브

★더 알아보기 플라스틱

우리 주변의 물체들을 보면 플라스틱이 쓰이지 않는 곳이 거의 없다. 플라스틱은 가볍고 튼튼하며 어떠한 색깔이든 만들어 낼 수 있으며, 어느 정도 열만 가하면 어떤 형태든 만들어 낸다. 플라스틱은 그리스어로 "성형할 수 있다." 라는 뜻이다. 플라스틱은 고분자 화합물의 일종으로, 그 종류와 용도가 매우 다양하다. 일반적으로 플라스틱은 열에 의해 쉽게 모양이 변하고 유해 물질도 나오기 때문에, 플라스틱 그릇에 담긴 음식은 되도록 빠른 시간 내에 먹는 것이 좋다.

개념 더하기

● 고무의 탄성

탄성은 외부의 힘에 의해 변형된 물체가 이 힘이 없어졌을 때 원래의 상태로 되돌아가려고 하는 성질이다. 고무줄이나 용수철은 탄성이 강한 물체이다.

용어 풀이

✓ 펜치

손에 쥐고 철사 등을 끊거나 구부리는 데 쓰는 도구

정답

ⓐ 성질 ⓑ 플라스틱
ⓒ 고무

개념 기르기

01 다음 〈보기〉 중 물체에 대한 설명으로 옳은 것을 모두 고른 것은 어느 것입니까? (　　)

> 보기
> ㉠ 모양이 있고 공간을 차지하는 것을 말한다.
> ㉡ 눈에 보이는 것 중에서 단단한 것만 물체이다.
> ㉢ 주위에서 볼 수 있는 물체로는 장난감, 책상, 플라스틱 등이 있다.

① ㉠　② ㉠, ㉡
③ ㉠, ㉢　④ ㉡, ㉢
⑤ ㉠, ㉡, ㉢

02 다음 중 물체와 물체를 만든 재료를 바르게 연결한 것이 <u>아닌</u> 것은 어느 것입니까? (　　)

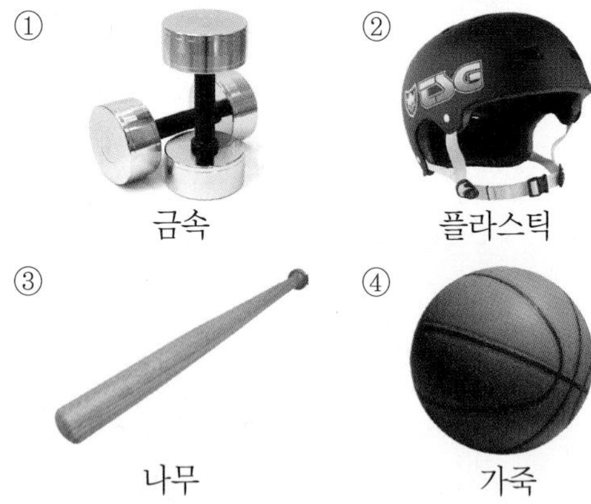

① 금속　② 플라스틱

③ 나무　④ 가죽

⑤ 고무

중요

03 다음 중 물체를 분류한 기준으로 옳지 <u>않은</u> 것은 어느 것입니까? (　　)

① 파란색과 빨간색으로 물체를 분류하였다.
② 동그란 모양, 네모 모양, 세모 모양으로 물체를 분류하였다.
③ 운동할 때 쓰이는 물체와 공부할 때 쓰이는 물체로 분류하였다.
④ 내가 자주 사용하는 물체와 자주 사용하지 않는 물체로 분류하였다.
⑤ 금속으로 만든 것과 플라스틱으로 만든 것, 고무로 만든 것으로 분류하였다.

04 다음 중 같은 물질로 이루어진 물체가 <u>아닌</u> 것은 어느 것입니까? (　　)

① 비커　② 어항
③ 유리컵　④ 유리병
⑤ 모양 자

신유형

05 다음과 같이 학용품을 분류한 기준으로 옳은 것은 어느 것입니까? (　　)

색종이, 지우개, 구슬	연필, 가위, 볼펜

① 크기가 큰 물체와 작은 물체
② 네모 모양과 동그란 모양의 물체
③ 공부할 때 쓰는 물체와 미술할 때 쓰는 물체
④ 종이로 만들어진 물체와 플라스틱으로 만들어진 물체
⑤ 한 가지 물질로 이루어진 물체와 두 가지 이상의 물질로 이루어진 물체

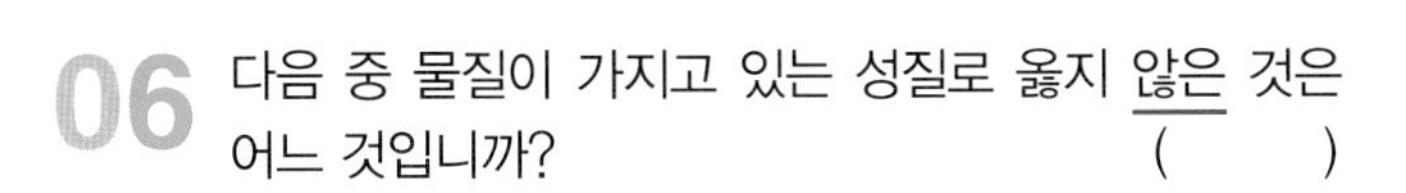

06 다음 중 물질이 가지고 있는 성질로 옳지 않은 것은 어느 것입니까? ( )

① 맛 ② 냄새
③ 가격 ④ 단단한 정도
⑤ 물에 뜨는 정도

07 철 막대, 플라스틱 막대, 나무 막대, 고무 막대를 각각 서로 긁어보았습니다. 이에 대한 설명으로 옳은 것을 모두 고르시오. (,)

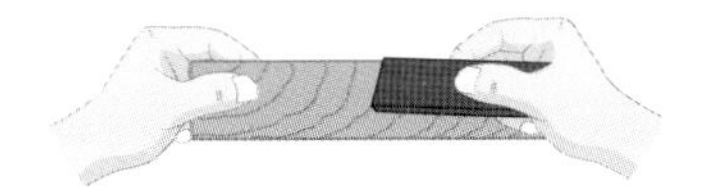

① 철 막대가 가장 단단하다.
② 플라스틱 막대가 고무 막대보다 잘 긁힌다.
③ 나무 막대가 플라스틱 막대보다 단단하다.
④ 나무 막대가 가장 단단하지 않다.
⑤ 긁히지 않을수록 단단한 물질이다.

08 철 막대, 플라스틱 막대, 나무 막대, 고무 막대를 물이 담긴 수조에 넣어보았습니다. 물에 가라앉는 물질로 바르게 짝지은 것을 고르시오. ( )

① 철, 나무 ② 나무, 플라스틱
③ 고무, 나무 ④ 고무, 철
⑤ 플라스틱, 철

09 철 막대, 플라스틱 막대, 나무 막대, 고무 막대를 휘어 보고 구부러지는 정도를 비교해 보았습니다. 이에 대한 설명으로 옳은 것을 고르시오. ( )

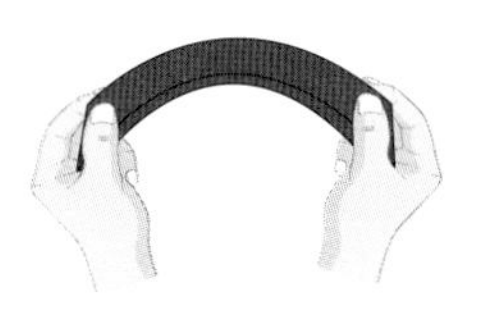

① 고무가 가장 잘 구부러진다.
② 나무는 플라스틱보다 잘 구부러진다.
③ 플라스틱은 철보다 잘 구부러지지 않는다.
④ 철은 고무보다 잘 구부러진다.
⑤ 나무가 가장 잘 구부러지지 않는다.

10 다음 중 유연하고 질기며 장갑이나 풍선을 만드는 물질은 어느 것입니까? ( )

① 철 ② 유리
③ 고무 ④ 나무
⑤ 플라스틱

11 다음 중 고유한 무늬와 향이 있고 어느 정도 단단한 물질로 만든 물체는 어느 것입니까? ( )

① 색종이 ② 못
③ 옷 ④ 책상
⑤ 고무장갑

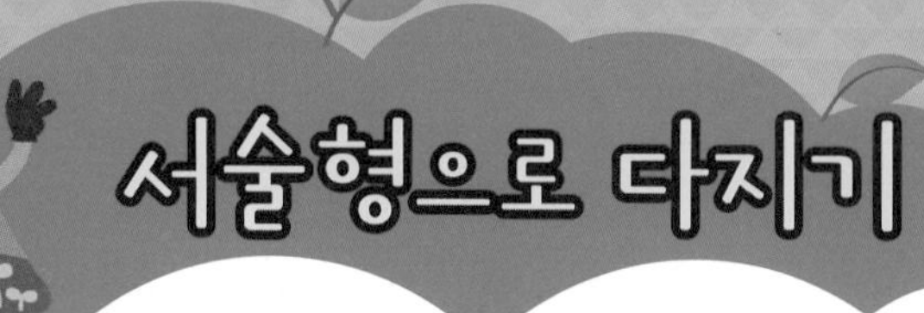

서술형으로 다지기

손에 잡히는 문제 해결

생수병, 의자, 블럭을 만드는 물질은 무엇인가요?

▼

생수병, 의자, 블럭의 공통점은 무엇인가요?

▼

생수병, 의자, 블럭을 만드는 물질의 성질을 생각해 봅니다.

01 다음 물체를 만드는 데 공통으로 쓰인 물질의 성질을 <u>두 가지</u> 적어보세요.

손에 잡히는 문제 해결

배를 사용하는 곳은 어디인가요?

▼

배는 어떤 특징을 가져야 하나요?

▼

배를 나무로 만든 이유를 생각해 봅니다.

02 인류는 4만년 전인 구석기 시대때부터 하천이나 강을 건너기 위해 배를 사용했습니다. 현재 발견된 가장 오래된 배는 통나무 쪽배로, 돌칼과 돌도끼로 큰 통나무 가운데를 파서 만든 배입니다. 구석기 시대 사람들이 통나무로 배를 만든 이유를 적어보세요.

03 구리 등과 같이 전기가 잘 흐르는 금속으로 이루어진 전선은 감전의 위험이 있기 때문에 피복으로 감싸져 있습니다. 전선을 감싸고 있는 피복은 무엇으로 이루어져 있는지 쓰고, 그 물질로 이루어진 이유를 함께 적어보세요.

손에 잡히는 문제 해결

전선을 관찰했던 경험을 떠올립니다.

▼

전선이 잘 구부러지게 하려면 어떤 물질을 사용해야 할까요?

▼

전선을 손으로 만져도 안전하려면 어떤 물질을 사용해야 할까요?

04 우주로 발사된 우주선은 지구에서 발사할 때 사용된 발사체와 분리된 다음 안테나를 폅니다. 이 안테나는 원래의 모양을 기억하는 성질을 가진 '형상 기억 합금'으로 되어 있습니다. 형상 기억 합금은 특정한 온도가 되면 자신이 기억하는 모양으로 되돌아가는 금속입니다. 우주선의 안테나는 우주에서 태양열에 의해 온도가 올라 특정한 온도가 되면 접시 모양으로 펼쳐집니다. 이런 금속의 성질을 이용하여 만든 안테나의 좋은 점을 적어 보세요.

형상 기억 합금

손에 잡히는 문제 해결

형상 기억 합금의 특징은 무엇인가요?

▼

안테나가 펼쳐져 있으면 발사될 때 어떤 점이 불편할까요?

▼

특정한 온도에서만 펼쳐지면 어떤 점이 좋을까요?

융합사고력 키우기

- ✓ Science
  - ▶ 물질
- ✓ Technology
  - ▶ 맥시멀
- ✓ Engineering
  - ▶ 런닝화
- Art
- Mathmatics

'맨발 신발' 에서 '쿠션 신발' 시대로

'맨발 신발(Barefoot Shoes)'이 처음 등장한 것은 지난 2006년이다. 처음에는 많은 사람들로부터 큰 관심을 불러일으키지 못했다. 그러나 지난 2011년 미국 캘리포니아 주의 맨발 달리기 선풍이 상황을 바꾸어 놓았다.

지역 언론 등을 통해 맨발로 달릴 경우 장딴지와 발의 근육이 강화되고 신체 균형을 잡아주며 무릎 부상과 정강이 통증을 막는다는 말이 퍼진 결과다. 갑자기 맨발로 달리는 것에 대해 부담감을 가진 소비자들이 '맨발 신발'에 관심을 갖기 시작했다. 헬스클럽에 가면 쿠션과 밑창을 최소화한 맨발 신발을 착용하고 달리기를 하는 사람을 쉽게 볼 수 있었다. 기존 운동화에 비해 가벼운 맨발 신발의 인기가 높아지면서 미국 런닝화 시장에서는 '미니멀(Minimal)'이 시장을 주도하는 트렌드로 부상하였던 것이다. 월스트릿 저널은 2012년 보도를 통해 2011년 맨발 신발 판매가 전년 대비 3배 성장했다고 전했다. 그러나 갑자기 찾아온 맨발 신발의 번영이 시들해지기 시작했다.

▲ 미니멀 신발, 맨발 신발

▲ 맥시멀 신발, 쿠션 신발

맨발 신발

이번에는 맨발 신발과 정반대 개념인 '맥시멀(maximal) 신발'이 인기를 얻고 있다. 'Hoka One One Conquest'에서 쿠션을 강화시켜 편안하고 달리기를 할 때 피로를 줄여준다는 점이 특징인 맥시멀 신발이 나왔다. 앞쪽과 뒤쪽 쿠션 부분이 각각 25 mm, 29 mm로 기존 런닝화에 비해 두꺼운 편이다. 그래서 많은 사람들이 조깅, 산책용으로 맥시멀 신발인 쿠션 신발을 찾고 있다.

용어 풀이

미니멀
필요 이상의 것을 완전히 억제하는 것을 말한다. 신발을 신으면서 양말 등 필요하지 않은 요소들을 최소화했다는 의미다.

맥시멀
필요한 것을 최대한 강화하는 것을 말한다. 기존 운동화와 비교해 쿠션 등 부가 기능을 대폭 강화했다는 의미다.

1 맨발 신발은 필요 이상의 것을 완전히 억제한 미니멀 신발입니다. 미니멀 신발과 반대로 필요한 것을 최대한 강화한 맥시멀 신발을 무슨 신발이라고 하나요?

2 위 글의 밑줄 친 부분에서 맨발 신발의 번영이 갑자기 시들해진 이유는 맨발 신발의 과장 광고 때문입니다. 과장 광고 내용을 추리하여 적어보세요.

과장 광고는 어떤 의미일까요?

맨발 신발의 광고 내용은 무엇일까요?

맨발 신발의 과장 광고는 어떤 의미일까요?

논술형

3 맨발 신발의 시장은 줄어들고 다양한 맥시멀 신발들이 시장에 선보이고 있습니다. 건강과 관련하여 신발회사들이 어느 정도의 과학적 입증이 가능한 제품을 내놓을 수 있을지에 대해 소비자들의 관심이 집중되고 있습니다. 쿠션 신발 동영상 시청 후 건강과 관련된 신발을 고안하고 과학적 원리와 함께 적어보세요.

쿠션 신발

맥시멀 신발의 장점은 무엇인가요?

발의 기능은 무엇인가요?

발의 기능에 도움을 줄 수 있는 신발은 어떤 기능이 필요할까요?

02 생활 속에서 물질의 성질 이용

1 물질의 성질을 생활 속에서의 이용

1. 한 가지 물질로 만들어진 물체

① 같은 종류의 물체라도 그 물체를 이루고 있는 물질에 따라 좋은 점이 서로 다르다.

② 상황에 알맞게 골라서 사용한다.

③ 컵 : 음료를 담을 때 사용한다.

컵의 종류	물질	특징
ⓐ______ 컵	금속	튼튼하고 떨어뜨려도 깨지지 않는다.
플라스틱 컵	플라스틱	예쁘고 가벼우면서도 잘 깨지지 않는다.
ⓑ______ 컵	유리	컵에 무엇이 담겨있는지 잘 보이지만, 잘 깨진다.
도자기 컵	도자기	열에 강하고, 음료를 오랫동안 따뜻하게 보관할 수 있다.
ⓒ______ 컵	종이	싸고 가벼워 손쉽게 사용할 수 있지만, 여러 번 사용하기 어렵다.

▲ 금속 컵

▲ 플라스틱 컵

▲ 유리컵

▲ 도자기 컵

▲ 종이컵

④ 가방 : 물체를 담을 때 사용한다.

가방의 종류	물질	특징
종이 가방	종이	가볍고 휴대하기 쉽다.
비닐 가방	비닐	가볍고 질기며 저렴하다
ⓓ______ 가방	가죽	질기고 무거운 것을 담을 수 있다.
섬유 가방	섬유	가볍고 부드럽다.

▲ 종이 가방

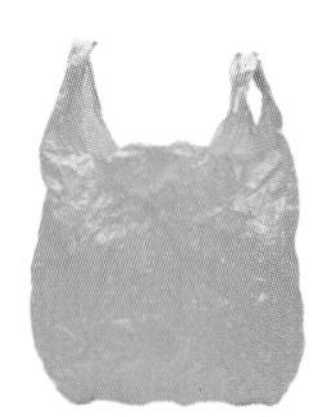
▲ 비닐 가방

▲ 가죽 가방

▲ 섬유 가방

개념 더하기

● 도자기
고령토, 장석, 진흙 등을 이용해 모양을 만들어 유약을 칠하고, 높은 온도로 구워 단단하게 만든 그릇 종류를 통틀어 일컫는 말이다.

용어 풀이

✓ 가죽
동물의 몸에서 벗겨 낸 껍질을 가공해서 만든 물건

✓ 섬유
옷을 만드는 옷감의 재료

정답

ⓐ 금속 ⓑ 유리 ⓒ 종이 ⓓ 가죽

2. 여러 가지 물질로 만들어진 물체

① 물체의 ⓐ______에 알맞은 물질을 선택하여 물체를 만든다.

② 책상

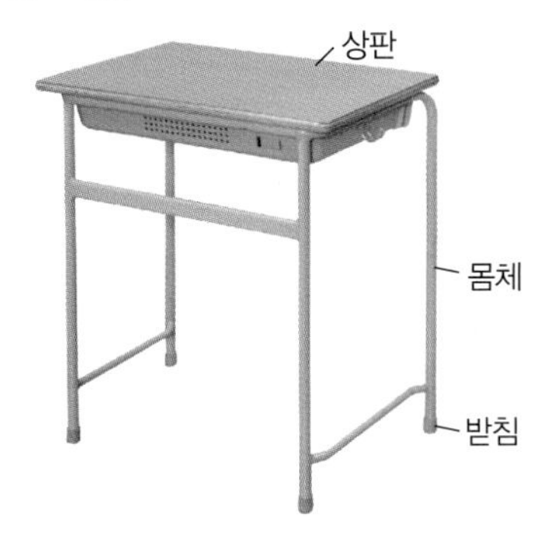

부분	물질	특징
상판	ⓑ______	가벼우면서도 단단하다.
몸체	금속	튼튼하고 잘 부러지지 않는다.
받침	플라스틱	바닥이 긁히는 것을 막아준다.

③ 쓰레받기

부분	물질	특징
몸체	플라스틱	가볍고 단단하다.
입구	ⓒ______	바닥에 잘 달라붙어 작은 먼지도 쓸어 담기 좋다.

④ 자전거

부분	물질	특징
몸체	ⓓ______	튼튼하고 충격에 잘 부서지지 않는다.
안장	고무, 플라스틱	부드럽고 편안한 느낌을 준다.
바퀴살	금속	튼튼하고 충격에 잘 부서지지 않는다.
타이어	ⓔ______	충격을 덜 받는다.
손잡이	고무, 플라스틱	미끄러지지 않고 손에 잘 잡힌다.

개념 더하기

● 타이어

수레, 자전거, 자동차, 항공기 등의 바퀴 바깥 둘레에 끼우는 테로, 주로 고무로 만든다. 충격을 덜 받도록 하기 위해 타이어 안에 튜브를 끼우고 그 속에 공기를 채운다. 타이어의 땅에 닿는 고무의 바깥 부분은 미끄러지지 않도록 무늬를 내서 도톨도톨하게 만든다.

용어 풀이

✓ 안장

자전거나 오토바이 같은 탈것에 사람이 앉는 자리

정답

ⓐ 기능 ⓑ 나무 ⓒ 고무
ⓓ 금속 ⓔ 고무

02 물질의 성질 이용

2 서로 다른 물질의 혼합

1. 서로 다른 물질을 섞었을 때 물질의 성질 변화

탐구 | 탱탱볼 만들기

탐구 과정

① 붕사와 폴리비닐 알코올을 관찰한다.
② 따뜻한 물에 붕사를 녹인다.
③ 붕사를 녹인 물에 폴리비닐 알코올을 넣고 저어준다.
④ 덩어리를 꺼내어 오랫동안 주물러 준다.

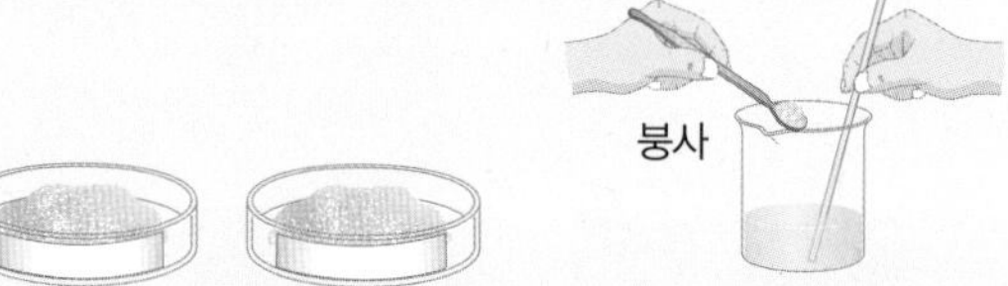

탐구 결과 및 결론

① 붕사와 폴리비닐 알코올은 흰색 ⓐ______ 물질이다.
② 따뜻한 물에 붕사를 넣으면 ⓑ______서 보이지 않는다.
③ 붕사를 녹인 물에 폴리비닐 알코올을 넣으면 하얀색 ⓒ______가 생긴다.
④ 하얀색 덩어리를 주물러 준 후 바닥에 떨어뜨리면 ⓓ______.
⑤ 서로 다른 물질이 섞이면 섞기 전과 성질이 달라질 수 있다.

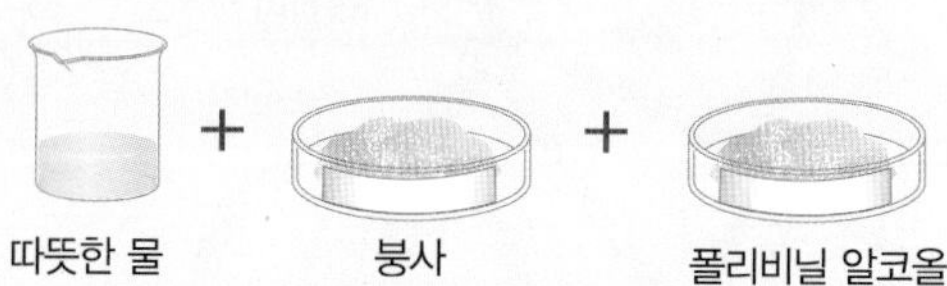

① 섞기 전과 후의 물질의 성질 변화

물질	섞기 전 성질	섞었을 때 성질
붕사	흰색 가루 물질	• 하얀색 고체 물질 • 말랑말랑하다. • 튀어오른다. ➡ 탱탱볼
폴리비닐 알코올	흰색 가루 물질	
따뜻한 물	투명한 액체	

개념 더하기

● **폴리비닐 알코올**
PVA라고도 하며, 초산 비닐 수지에서 얻는 물에 잘 녹는 수지이다.

● **붕사**
붕산 나트륨의 결정체로 연하고 가벼운 무색의 결정성 물질이며, 물에 잘 녹는다. 유리, 유약의 원료, 용접제, 방부제 등으로 사용된다.

● **탱탱볼의 고무 성질**
붕사를 녹인 물에 폴리비닐 알코올을 넣으면 폴리비닐 알코올 사이에 붕사가 끼어들어 결합하면서 고무의 성질이 생긴다.

● **탱탱볼 만들기**
• 따뜻한 물을 사용하면 탄력이 커진다.
• 오랫동안 주물러줄수록 잘 튄다.
• 붕사를 조금 사용할수록 말랑해지고 접착제처럼 달라붙는다.

용어 풀이

탱탱볼
던지면 다른 공보다 비교적 높게 튀어오르는 특수한 고무로 되어 있는 작은 공

정답
ⓐ 가루 ⓑ 녹아 ⓒ 덩어리
ⓓ 높이 튄다

3 연필꽂이 만들기

1. 연필꽂이 설계

설계	사용할 물질과 좋은 점
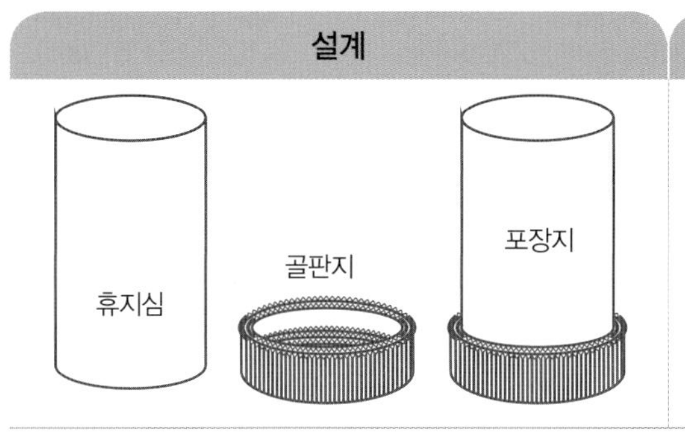	• 휴지심 : 구하기 쉽고 가볍다. • 골판지 : 말아서 동그랗게 만들기 쉽다. • 포장지 : 그림이 있고 휴지심에 붙이기 쉽다.

2. 보완할 점

① 물에 젖기 쉬우므로 겉면에 비닐이나 코팅지를 붙인다.
② 휴지심이 얇아 찌그러지기 쉬우므로 두꺼운 휴지심으로 만든다.
③ 휴지심이 작아 연필을 많이 꽂을 수 없으므로 여러 개를 연결한다.

★더 알아보기 야구 용품 속에 숨겨진 과학

야구 방망이는 주로 알루미늄이나 나무로 만든다. 금속의 한 종류인 알루미늄으로 만든 야구 방망이는 잘 부러지지 않고, 속이 비어 있어 가볍다. 알루미늄 야구 방망이는 공을 잘 튕겨 내고 가벼워서 타자가 빠른 속도로 공을 칠 수 있어서 공이 매우 빠르게 멀리까지 날아가므로 선수와 관중들이 위험해질 수 있다. 따라서 프로 야구에서는 나무로 만든 야구 방망이만 사용한다.

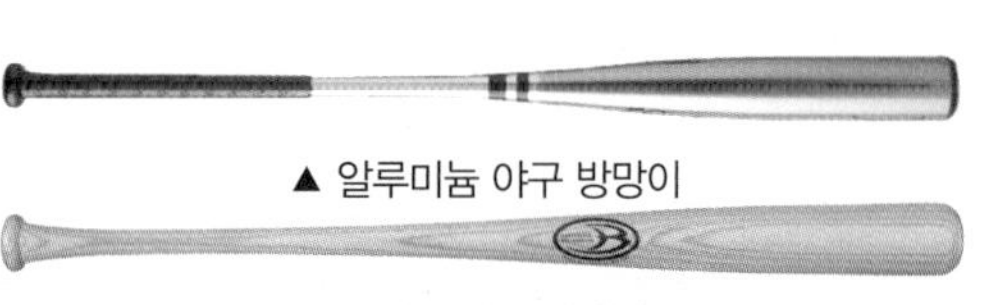
▲ 알루미늄 야구 방망이
▲ 나무 야구 방망이

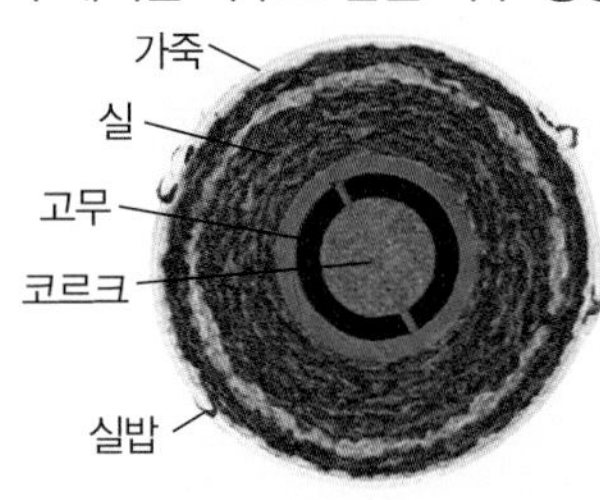

야구공은 다양한 물질을 사용해 만든다. 가장 가운데 부분은 누르면 크기가 작아지는 코르크로 만들고, 원래 모양으로 잘 되돌아오는 고무로 코르크를 감싼다. 그 위에 코르크와 고무를 보호하기 위해 실로 촘촘히 감고, 강한 충격에도 잘 찢어지지 않는 질긴 가죽을 씌운 후 실로 가죽을 연결한다.

개념 더하기

● 운동할 때 사용되는 공의 재료
- **탁구공** : 셀룰로이드 또는 플라스틱 재질로 만든다.
- **배구공** : 고무 또는 가죽으로 만들고 압축 공기를 채운다.
- **농구공** : 가죽 또는 고무로 만들고 압축 공기를 채운다.
- **축구공** : 가죽으로 만들고 압축 공기를 채운다.
- **테니스공** : 고무로 만들고 압축 공기를 채운다.
- **배드민턴공, 셔틀콕** : 반구형 코르크와 16개의 깃털로 만든다.
- **골프공** : 고무에 플라스틱을 씌워 만든다.

▲ 농구공

▲ 축구공

▲ 배구공

▲ 셔틀콕 ▲ 테니스공 ▲ 탁구공 ▲ 골프공

용어 풀이

√ **설계(베풀 設, 셀 計)**
계획을 세움

개념기르기

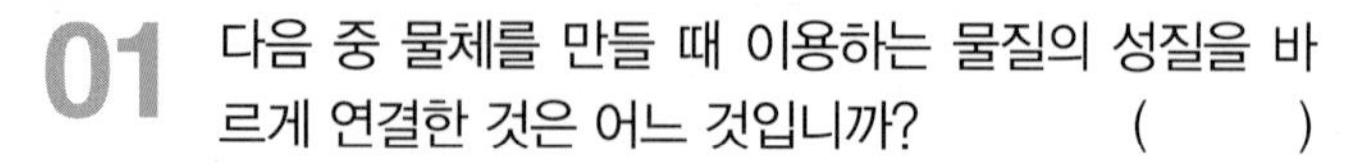

01 다음 중 물체를 만들 때 이용하는 물질의 성질을 바르게 연결한 것은 어느 것입니까? (   )

① 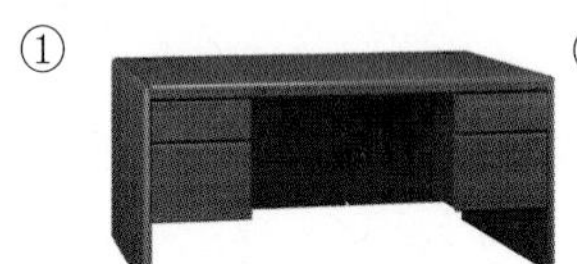

책상-나무는 다양한 모양으로 만들기 쉽다.

② 

필통-플라스틱은 투명하여 속이 잘 보인다.

③ 

수첩-종이는 가볍고 글씨가 잘 써진다.

④ 

망치-철은 부드러우면서 질기다.

⑤ 

장갑-가죽은 고유한 무늬가 있고 가공하기 쉽다.

02 다음 중 물질의 성질을 생활 속에서 이용한 것에 대한 설명으로 바른 것을 모두 고르시오. (,   )

① 유리는 투명하므로 연필을 만든다.
② 종이는 글자가 잘 써지므로 공책을 만든다.
③ 플라스틱은 가볍고 단단하므로 컵을 만든다.
④ 나무는 유연하고 질기므로 책상을 만든다.
⑤ 고무는 열에 강하므로 고무줄을 만든다.

03 다음 컵 중에서 음료를 오랫동안 따뜻하게 보관할 수 있는 컵으로 알맞은 것은 어느 것입니까? (   )

① 도자기 컵 ② 유리컵
③ 종이컵 ④ 금속 컵
⑤ 플라스틱 컵

04 다음과 같이 여러 가지 물질로 만든 컵에 대한 설명으로 바른 것을 모두 고르시오. (,   )

① 종이컵은 싸고 가벼워 손쉽게 사용할 수 있다.
② 유리컵은 단단하여 잘 깨지지 않는다.
③ 금속 컵은 튼튼하여 떨어뜨려도 깨지지 않는다.
④ 도자기 컵은 투명하여 담겨 있는 내용물을 쉽게 알 수 있다.
⑤ 플라스틱 컵은 열에 강해 음료를 오랫동안 따뜻하게 보관할 수 있다.

신유형

05 다음과 같이 여러 가지 물질로 만든 가방에 대한 설명으로 바른 것은 어느 것입니까? (   )

㉠ 
㉡ 
㉢ 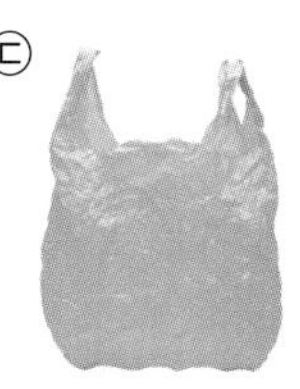
㉣ 

① ㉠은 질기며 저렴하다.
② ㉡은 질기고 무거운 것을 담을 수 있다.
③ ㉢은 무겁고 저렴하다.
④ ㉢은 질기고 딱딱하다.
⑤ ㉣은 무겁고 부드럽다.

중요

06 자전거의 각 부분을 이루고 있는 물질에 대한 설명으로 바른 것을 모두 고르시오. (,)

① 몸체는 튼튼하고 충격에 잘 부서지지 않는 금속으로 만든다.
② 안장은 부드럽고 편안한 느낌을 주는 고무로 만든다.
③ 바퀴살은 안장과 같은 물질로 만든다.
④ 타이어는 충격을 덜 받는 플라스틱으로 만든다.
⑤ 손잡이는 미끄러지지 않고 손에 잘 잡히는 금속으로 만든다.

07 쓰레받기의 입구를 만들 물질로 적당한 것은 어느 것입니까? ( )

보기

쓰레받기 입구는 바닥에 잘 달라붙어 작은 먼지도 쓸어 담기 좋아야 한다.

① 플라스틱 ② 금속
③ 유리 ④ 고무
⑤ 나무

08 탱탱볼을 만들기 위해 붕사, 폴리비닐 알코올, 뜨거운 물을 섞었습니다. 이에 대한 설명으로 옳지 않은 것은 어느 것입니까? ( )

① 섞기 전 따뜻한 물은 투명한 액체이다.
② 섞기 전 붕사는 흰색 가루 물질이다.
③ 섞기 전 폴리비닐 알코올은 흰색 가루 물질이다.
④ 붕사를 따뜻한 물에 넣고 저으면 녹아서 보이지 않는다.
⑤ 따뜻한 물에 붕사와 폴리비닐 알코올을 넣고 저으면 녹아서 보이지 않는다.

신유형

09 뜨거운 물에 붕사와 폴리비닐 알코올을 넣고 섞어 탱탱볼을 만들었습니다. 다음 중 탱탱볼의 성질에 대한 설명으로 옳은 것을 모두 고른 것은 어느 것입니까? ( )

보기

㉠ 말랑말랑하다.
㉡ 투명하다.
㉢ 단단하다.
㉣ 바닥에 놓으면 튀어오른다.

① ㉠, ㉡ ② ㉠, ㉢
③ ㉠, ㉣ ④ ㉡, ㉢
⑤ ㉢, ㉣

서술형으로 다지기

자전거의 몸체에 사용할 수 있는 물질은 무엇인가요?

▼

자전거의 의자는 어떤 물질로 되어 있어야 편안할까요?

▼

자전거의 바퀴는 어떤 물질로 되어 있어야 충격을 잘 흡수할까요?

01 자전거는 두 가지 이상의 물질로 이루어져 있습니다. 자전거의 몸체, 의자, 바퀴는 무엇으로 이루어져 있으며, 그 물질을 사용한 이유를 각각 적어보세요.

손에 잡히는 문제 해결

우리 주변의 물체를 생각합니다.

▼

다양한 물질로 이루어진 물체를 나열해 봅시다.

▼

내가 사용하는 물체 중에서 다양한 물질로 이루어진 물체를 생각해 봅니다.

02 다음과 같이 신발은 볏짚, 천, 가죽, 나무 등 다양한 물질을 이용하여 짚신, 운동화, 구두 등을 만듭니다. 이렇게 우리 주변에서 같은 물체이지만 다른 물질로 만든 예를 3가지 찾아 적어보세요.

정답 및 해설
4쪽

03 집에서는 가죽이나 섬유로 만든 의자를 사용하지만, 공원에서 돌로 만든 의자를 사용합니다. 가죽으로 만든 의자가 돌로 만든 의자보다 좋은 점을 3가지 적어보세요.

손에 잡히는 문제 해결

돌의 특징은 무엇인가요?

▼

가죽이나 섬유의 특징은 무엇인가요?

▼

가죽이나 섬유를 사용했을 때 돌보다 좋은 점을 생각해 봅니다.

논술형

04 우리가 사용하는 냉장고의 몸체는 얇은 철판으로 이루어져 있습니다. 만약 몸체를 흙, 유리, 고무, 플라스틱으로 바꾼다면 각각의 물질을 사용했을 때의 좋은 점과 그렇게 생각한 이유를 각각 적어보세요.

손에 잡히는 문제 해결

고체의 특징은 무엇인가요?

▼

흙 또는 유리를 사용했을 때 좋은 점을 생각해 봅니다.

▼

고무 또는 플라스틱을 사용했을 때 좋은 점을 생각해 봅니다.

융합사고력 키우기

- ✓ Science
  - ▶ 액체, 기체
- ✓ Technology
  - ▶ 냉방 성능
- ✓ Engineering
  - ▶ 방탄조끼
- Art
- Mathmatics

여름도 거뜬한 '스마트 방탄조끼'

영화나 드라마 속 특수경찰들은 유니폼 안에 얇은 방탄조끼를 입고 멋진 모습으로 테러범을 소탕한다. 그러나 실제로는 기온이 조금만 높아져도 이런 모습을 유지하기 어렵다. 더위로 인한 땀 때문이다. 총알을 막아내는 방탄조끼는 특수 섬유인 케블라 섬유로 만든다. 촘촘한 구조 때문에 총알뿐만 아니라 수증기도 통과시키지 못한다. 따라서 날이 더워지면 착용자가 땀에 젖을 수밖에 없다.

최근 스위스국립연구소가 냉방 성능을 획기적으로 높인 '스마트 방탄조끼'를 개발했다. 운동복에 쓰이는 기능성 섬유 안에 기화열로 온도를 낮추는 쿨패드를 넣고, 전자식 팬을 달아 공기를 강제적으로 순환시킨다. 이것은 섬유, 전자, 레이저 등 다양한 기술을 융합해 문제를 해결한 것이다. 스마트 방탄조끼는 다양한 장치를 갖췄으면서도 무게는 더 가벼워졌다.

스마트 방탄조끼는 취리히 경찰을 대상으로 진행된 실험에서 우수한 성능을 입증했다. 국립소재연구소의 기온조절실에 런닝머신을 설치하고 방 안의 온도를 높인 후 수 킬로미터를 달리게 했다. 기존 방탄조끼를 입으면 체중이 735 g 줄어들었지만, 스마트 방탄조끼는 191 g이나 적은 544 g만 감량시켰다. 스마트 방탄조끼는 경찰 유니폼의 내부에 착용할 수 있도록 대량생산에 돌입할 예정이다.

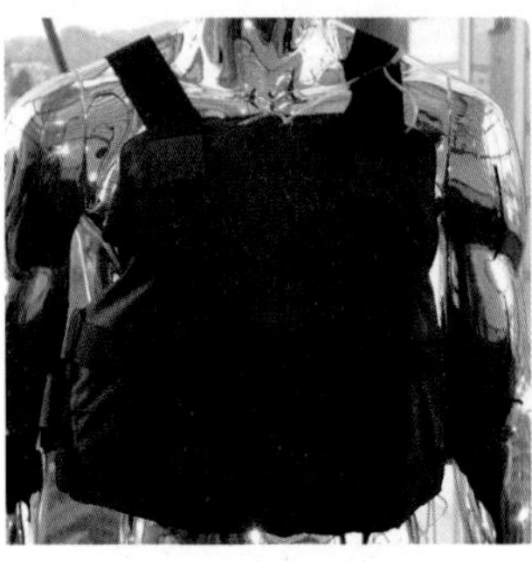

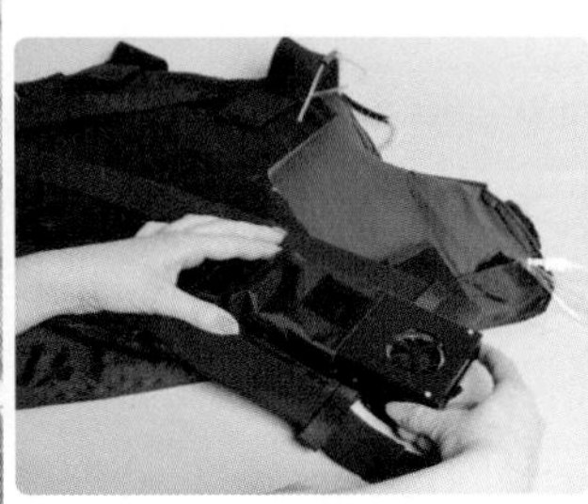

▲ 전자식 팬

▲ 쿨패드

용어 풀이

- **방탄**
  날아오는 탄알을 막음
- **케블라 섬유**
  밀도가 섬유 유리의 절반 정도이고 강철보다 5배나 강력한 섬유로, 방탄조끼로 제작되어 수천만 명의 생명을 구했다.

1 스마트 방탄조끼는 기존 방탄조끼에 어떤 성능을 획기적으로 높인 것인가요?

2

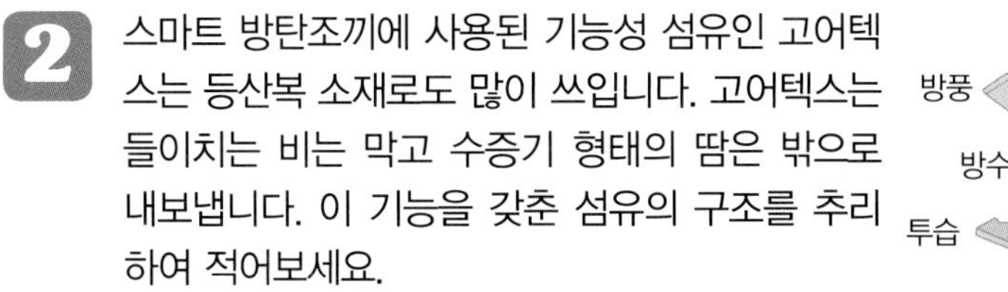

스마트 방탄조끼에 사용된 기능성 섬유인 고어텍스는 등산복 소재로도 많이 쓰입니다. 고어텍스는 들이치는 비는 막고 수증기 형태의 땀은 밖으로 내보냅니다. 이 기능을 갖춘 섬유의 구조를 추리하여 적어보세요.

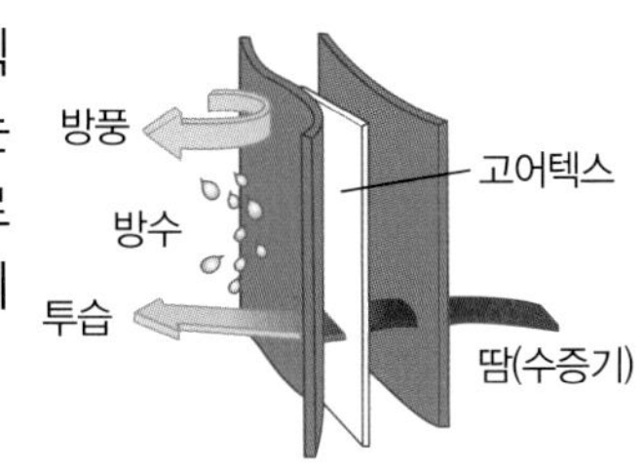

고어텍스

손에 잡히는 STEAM

들이치는 비의 상태는 무엇인가요?

▼

땀의 상태는 무엇인가요?

▼

액체는 통과하지 않고 기체만 통과할 수 있는 섬유의 구조는 무엇일까요?

3

논술형

밑줄친 부분처럼 실험을 한 결과, 기존 방탄조끼를 입은 사람이 스마트 방탄조끼를 입은 사람보다 체중이 더 많이 줄어들었습니다. 이 결과로 어떻게 스마트 방탄조끼의 우수한 성능을 입증할 수 있었는지 과학적으로 적어보세요.

손에 잡히는 STEAM

방탄조끼를 입고 런닝머신 위에서 달리면 어떨까요?

▼

체중이 감소한 이유는 무엇일까요?

▼

스마트 방탄조끼의 우수한 성능은 무엇일까요?

탐구력 키우기

프로펠러 배

물질은 저마다 독특한 성질을 가지고 있습니다. 우유팩과 고무줄의 성질을 이용하여 프로펠러 배를 만들어 보세요.

준비물

우유팩, 고무줄, 가위, 나무젓가락, 테이프, 색종이, 책받침 등 얇은 플라스틱, 색종이, 풀, 글루건

탐구 과정

① 빈 우유팩을 반으로 자른다.
② 입구를 테이프로 붙인다.
③ 우유팩 안쪽에 글루건으로 나무젓가락을 붙여 우유팩이 찌그러지지 않도록 한다.
④ 고무줄을 이용하여 나무젓가락 2개를 양옆으로 묶어준다.
⑤ 프로펠러를 만들기 위해 책받침을 직사각형 모양으로 두 개 자른다.
⑥ 자른 책받침 가운데에 홈을 만든다.
⑦ 책받침 조각의 홈을 끼워 +형의 프로펠러를 만든다.
⑧ 고무줄을 나무젓가락 뒷부분에 연결한다.
⑨ 고무줄 사이에 프로펠러를 끼운다.
⑩ 색종이를 이용하여 돛을 만들고 배를 꾸민다.
⑪ 프로펠러를 뒤로 여러 번 감은 후 물 위에 놓아본다.

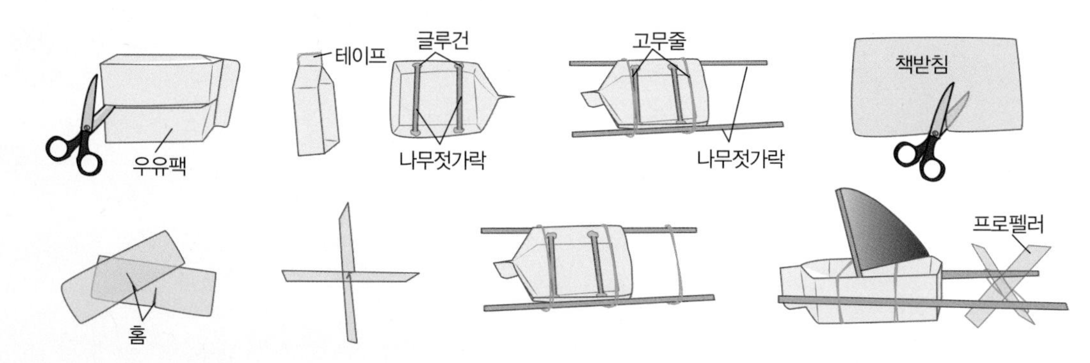

주의사항

- 프로펠러를 만드는 책받침은 잘 휘어지지 않는 딱딱한 물질을 이용한다.
- 욕조나 세면대에 물을 받아 놓고 프로펠러 배를 띄운다.

프로펠러 배

정답 및 해설
5쪽

1 프로펠러를 뒤로 여러 번 감은 후 물 위에 배를 놓으면 어떻게 되는지 적어보세요.

2 배가 더 많이 움직일 수 있는 방법을 적어보세요.

3 프로펠러 배를 만들 때 고무줄 대신 두꺼운 실을 이용하였더니 배가 앞으로 나아가지 않았습니다. 그 이유를 적어보세요.

STEAM

4 옛날에 만들어진 돛단배, 뗏목, 범선은 주로 나무를 이용하여 만들었습니다. 나무는 물에 잘 뜨는 물질이므로 배를 물에 띄우기는 쉽지만, 단단하지 않아 부서지기 쉽습니다. 따라서 요즘은 단단한 철을 이용하여 배를 만듭니다. 철 막대를 물에 넣으면 가라앉지만, 철로 만든 배는 물에 뜹니다. 철로 만든 배가 물에 뜰 수 있는 이유를 배의 모양을 바탕으로 추리하여 적어보세요.

▲뗏목 ▲나룻배

부력

▲범선 ▲철로 만든 배

Ⅱ 동물의 한살이

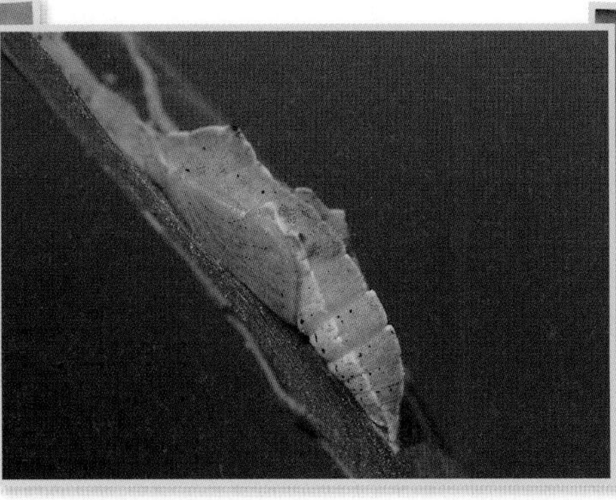

동물이 태어나서 어린 시절을 거치고 성장하여 자손을 남기고 죽을 때까지의 과정을 배운다. 다양한 동물들의 한살이 과정을 비교 관찰함으로써 동물에 따라 한살이 과정에 차이가 있음을 안다.

2015 개정 교육과정 교과서

초등 3~4학년 군 :
3학년 1학기 2단원 동물의 한살이

다른 학년과의 연계

초등 3~4학년 군 : 동물의 생활
초등 5~6학년 군 : 다양한 생물과 우리 생활
중학교 1~3학년 군 : 생물의 다양성, 동물과 에너지, 생식과 유전

알, 애벌레, 번데기, 성충의 과정을 거치는

03 배추흰나비의 한살이

1 배추흰나비의 관찰 계획

1. 배추흰나비 사육 상자 꾸미기

① 빈 사육 상자의 바닥에 화장지를 깔아 준다.

② 배추흰나비의 알이나 애벌레가 붙어있는 화분을 사육 상자에 넣는다.

③ 윗부분을 방충망으로 덮고 고무줄이나 끈으로 고정한다.

2. 배추흰나비 관찰 계획 세우기

① **배추흰나비 알을 볼 수 있는 곳 :** 애벌레의 ⓐ______가 되는 식물인 양배추, 배추, 무, 케일, 갓, 유채 등

② **배추흰나비를 기르기 위하여 필요한 것 :** 먹이(배추가 심어진 화분), 사육 상자, 방충망, 화장지, 분무기

③ **배추흰나비를 기를 때 주의할 점**

- 알이나 애벌레를 ⓑ___으로 직접 만지지 않는다.
- 애벌레가 바닥에 떨어졌을 때는 애벌레 앞에 배추 잎을 놓아 스스로 기어오르도록 한다.
- 먹이를 줄 때는 표면에 물기를 없애고 준다.
- 사육 상자 주변에 모기약이나 향수를 사용하지 않는다.

④ **배추흰나비 애벌레를 기르는 방법**

- 배추가 심어진 화분이 마르지 않도록 확인하고 ⓒ___을 준다.
- 바닥에 떨어진 똥과 부스러기를 치우고, 새로운 화장지를 깔아 준다.

⑤ **배추흰나비를 기르면서 관찰하고 기록해야 하는 것**

- **겉모습 :** 알이나 애벌레의 색깔, 입, 더듬이, 날개 등의 생김새 등
- **크기 :** 자라면서 변하는 몸의 크기 등
- **움직임 :** 애벌레, 번데기, 나비의 움직임, 먹이 먹는 모습 등

⑥ **배추흰나비 관찰 방법**

- **자람 :** ⓓ___를 이용하여 크기 변화를 측정한다.
- **색깔, 크기, 형태 :** 맨눈이나 ⓔ______로 관찰하거나, 사진기로 촬영한다.

⑦ **배추흰나비 관찰 결과 표현 방법**

- 알, 애벌레, 번데기, 성충의 크기와 모습 변화를 그림으로 나타낸다.
- 고무찰흙이나 색점토로 알부터 나비까지 모습을 만든다.

개념 더하기

● 사육 상자의 윗부분을 방충망으로 씌우는 까닭

- 애벌레의 몸속에 알을 낳아 번식하는 기생벌의 침입을 막기 위해서이다.
- 애벌레가 번데기로 될 때 안전한 장소를 찾아 돌아다니는데, 이때 애벌레가 사육 상자를 벗어나지 못하게 하기 위해서이다.
- 번데기에서 나온 나비를 관찰하기 전에 나비가 다른 곳으로 날아가는 것을 막기 위해서이다.

용어 풀이

방충망(막을 防, 벌체 蟲, 그물 網)
파리나 모기 따위의 벌레가 들어오지 못하도록 창 같은 데 치는 그물

천적(하늘 天, 원수 敵)
어떤 생물을 공격하여 먹이로 생활하는 생물

정답

ⓐ 먹이 ⓑ 손 ⓒ 물
ⓓ 자 ⓔ 돋보기

2 배추흰나비 알과 애벌레의 생김새

1. 배추흰나비 알 관찰하기

▲ 배추흰나비 알

① 크기 : 1mm 정도로 매우 작다.

② 색깔 : 연한 주황색 또는 연한 ⓐ______색이다.

③ 모양 : 긴 타원 모양이고, 표면에 줄무늬가 있어 옥수수처럼 보인다.

④ 배추흰나비 알의 부화

㉠ 알 껍질에 구멍을 내고 머리가 나온다.

㉡ 알 껍질 밖으로 나온다.(약 10분)

㉢ ⓑ________을 갉아 먹는다.(약 2시간)

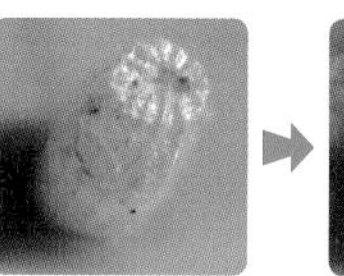
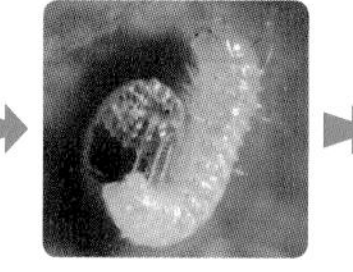
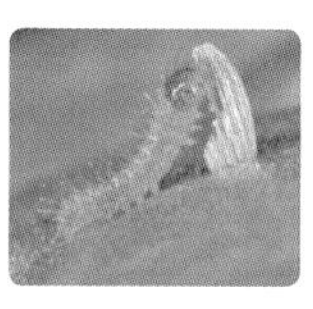

2. 배추흰나비 애벌레 관찰하기

① 색깔 : 알에서 갓 나왔을 때는 노란색이고, 잎을 먹기 시작하면 ⓒ______색으로 변한다.

② 겉모습 : 몸에 부드러운 털이 빽빽하게 나 있고, 몸통에 고리 모양의 마디가 있다.

③ 몸 구분 : 머리, 가슴, 배로 구분된다.

- ⓓ______에는 세 쌍의 다리(가슴발)가 있고, 배에는 배발 네 쌍과 꼬리발 한 쌍이 있다.

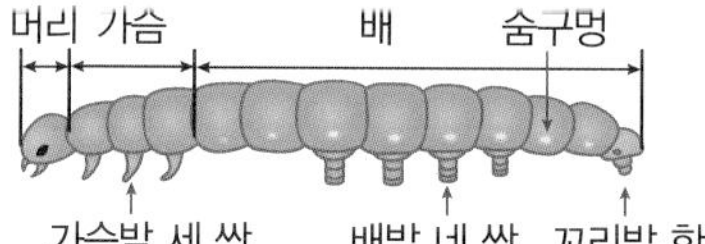

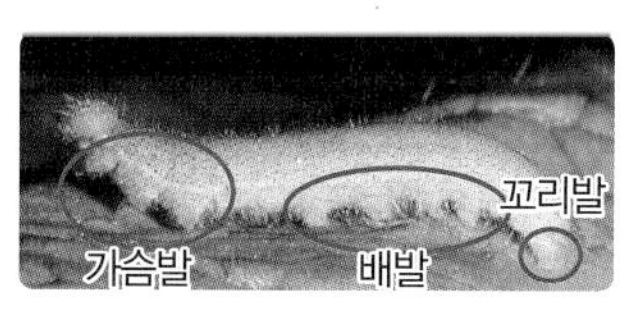

④ 애벌레가 자라는 모습 : 4회의 허물을 벗고 30mm까지 자란다.

- 15일이 지나면 먹는 것을 중단하고 ⓔ________로 변하기 위해 안전한 곳을 찾는다.

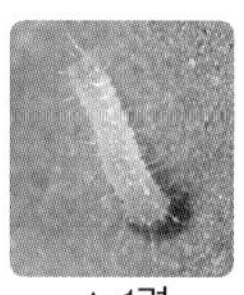
▲ 1령

▲ 2령(1회 허물벗기)

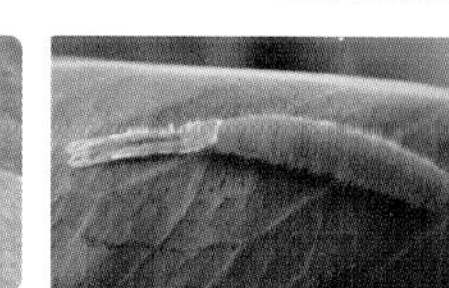
▲ 3령(2회 허물벗기)

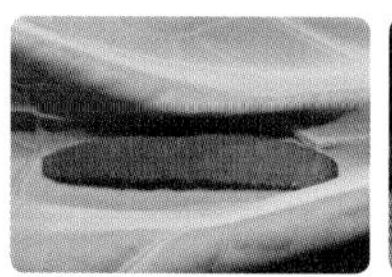
▲ 4령(3회 허물벗기)

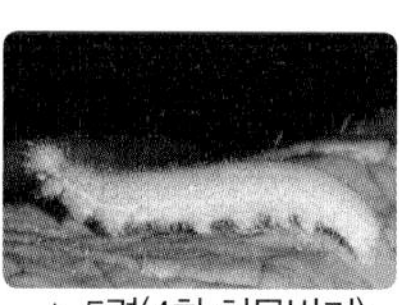
▲ 5령(4회 허물벗기)

3. 배추흰나비 알과 애벌레의 생김새 비교

구분	알	애벌레
겉모습	길쭉한 옥수수 모양이다.	털이 있고 긴 원통 모양이다.
색깔	연한 노란색이다.	초록색이다.
크기 변화	1mm 정도로 작으며 자라지 않는다.	허물을 벗으며 점점 크게 자란다.
움직임	움직이지 않는다.	자유롭게 기어서 움직인다.

개념 더하기

● 애벌레가 알 껍질을 먹는 이유

- 알 껍질은 단백질이 풍부하기 때문에 알 껍질을 먹어 부족한 영양분을 보충한다.
- 자신의 흔적을 없애 천적으로부터 보호하기 위해서이다.

배추흰나비 부화

● 애벌레가 초록색인 이유

애벌레는 먹이와 같은 초록색을 띠기 때문에 눈에 잘 띄지 않아 천적으로부터 자신을 보호할 수 있다.

● 애벌레의 허물벗기

애벌레의 껍질은 단단한 키틴질로 되어 있기 때문에 더 크게 자라기 위해서는 껍질을 벗어야 한다. 이를 '허물벗기'라고 한다.

용어 풀이

허물
곤충이 자라면서 벗는 껍질

정답
ⓐ 노란 ⓑ 알 껍질 ⓒ 초록 ⓓ 가슴 ⓔ 번데기

03 배추흰나비의 한살이

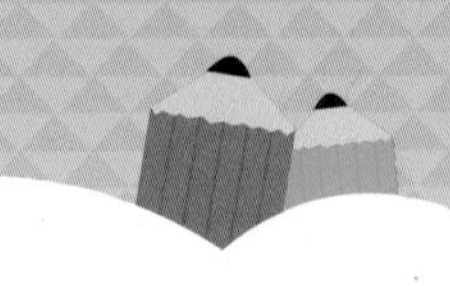

개념 더하기

● **배추흰나비 애벌레가 번데기로 변하기 전의 모습**
- 먹는 것을 중단하고 안전한 곳으로 찾아 기어다닌다.
- 몸의 색깔이 맑아진다.

● **번데기 색깔 변화**
번데기의 색깔은 애벌레가 번데기로 변할 때 주변의 색과 비슷해져 천적의 눈에 잘 띄지 않는다.

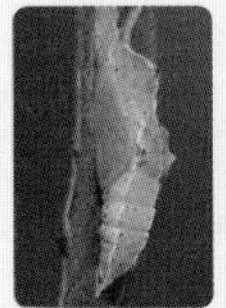

용어 풀이

번데기
완전 탈바꿈을 하는 곤충의 애벌레가 어른 벌레가 되는 과정 중 일정한 모양을 갖추고 한동안 아무것도 먹지 않고 움직이지 않으면서 멈춰 있는 상태

정답
ⓐ 허물 ⓑ 색깔 ⓒ 나비
ⓓ 주변

3 배추흰나비 번데기의 생김새

1. 배추흰나비 애벌레가 번데기로 변하는 과정

입에서 실을 내어 몸을 묶는다. → 움직이지 않는다. → 머리부터 껍질이 갈라지며 허물을 벗는다. → 몸을 비틀어 벗은 ⓐ______을 떨어뜨린다. → 번데기의 모습이 된다.(약 12시간) → ⓑ______이 변한다. → 시간이 지나면 ⓒ______의 모습이 보인다.

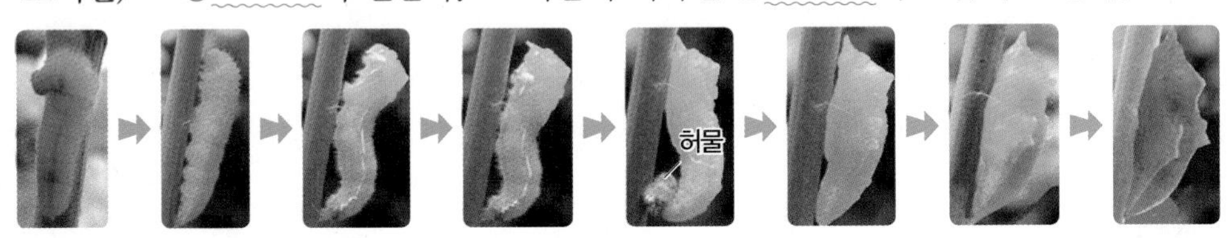

2. 번데기의 생김새

① **색깔** : 초록색, 갈색 등 ⓓ______의 색과 비슷하다.
② **모양** : 표면은 딱딱하고 머리, 가슴, 배로 구분은 되지만 뚜렷하지 않다.
③ **크기** : 길이가 약 25 mm 정도이다.
④ **변화** : 시간이 지나면 번데기의 표면이 투명해지고, 번데기 안에서 나비의 모습(눈, 날개 등)이 보이기 시작한다.

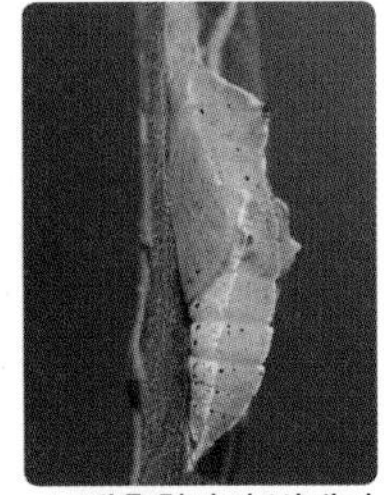
▲ 배추흰나비 번데기

3. 배추흰나비 애벌레와 번데기의 생김새 비교

구분	애벌레	번데기
겉모습	털이 있고 부드러우며 긴 원통 모양이다.	털이 없고 가운데가 불룩한 모양이다.
색깔	초록색이다.	초록색, 갈색 등 주변의 색과 비슷하다.
크기 변화	허물을 벗으며 점점 크게 자란다.	자라지 않는다.
움직임	자유롭게 기어서 움직인다.	한 곳에 붙어 있으며 움직이지 않는다.

4 배추흰나비의 생김새

1. 배추흰나비의 날개돋이 과정

껍질이 투명해지고 등쪽이 갈라진다. → 더듬이, 머리, 다리가 빠져나온다. → 몸 전체가 빠져나온다. → 날개를 늘어뜨리고 천천히 펼친다. → 날개가 마르면 날 수 있다.

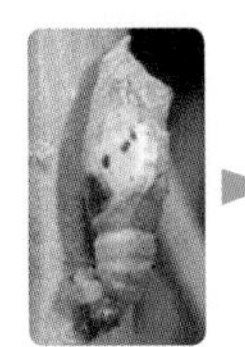
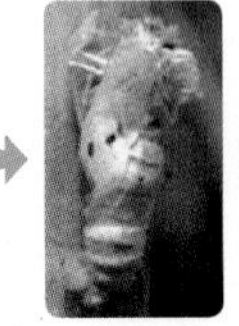
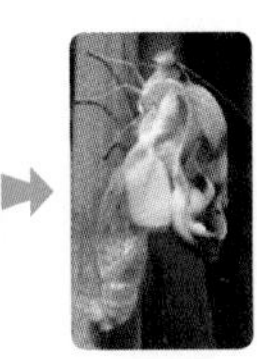

2. 배추흰나비의 생김새

① 몸 : 머리, 가슴, 배의 ⓐ____ 부분으로 구분되고, 털이 있다.

- 머리 : ⓑ____ 쌍의 더듬이, 한 쌍의 겹눈, 한 개의 긴 대롱 모양의 입이 있다.
- 가슴 : ⓒ____ 쌍의 날개와 ⓓ____ 쌍의 다리가 있다.
- 배 : 마디로 되어 있다.

② 날개 : 두 쌍의 날개가 비늘로 덮여 있다.

3. 배추흰나비의 한살이

① 배추흰나비는 알, 애벌레, 번데기의 단계를 거쳐 자란다.

② 성충이 된 배추흰나비는 짝짓기를 한 뒤 알을 낳아 대를 이어간다.

▲ 알

▲ 애벌레

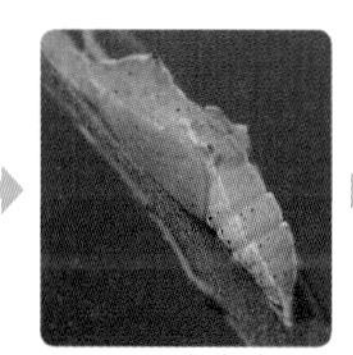
▲ 번데기

▲ 성충

5 여러 가지 곤충의 한살이 비교

1. 장수풍뎅이, 사마귀, 잠자리의 한살이 비교하기

구분	장수풍뎅이	사마귀	잠자리
공통점	• 알로 태어난다. • 애벌레 단계가 있으며, 허물을 벗으며 자란다. • 성충은 두 쌍의 날개와 세 쌍의 다리가 있다. • 성충은 모두 땅에서 생활한다. ▲ 장수풍뎅이 ▲ 사마귀 ▲ 잠자리		
차이점	• 땅에 알을 낳는다. • 애벌레는 나무 속에서 자란다. • 번데기 단계가 있다.	• 땅에 알을 낳는다. • 애벌레는 식물 위에서 자란다. • 번데기 단계가 없다.	• 물에 알을 낳는다. • 애벌레는 물속에서 자란다. • 번데기 단계가 없다.

2. 완전 탈바꿈과 불완전 탈바꿈

① ⓔ______ 탈바꿈 : 알 → 애벌레 → 번데기 → 성충의 한살이를 거치는 것

예 나비, 파리, 모기, 풍뎅이, 무당벌레, 사슴벌레 등

② ⓕ______ 탈바꿈 : 알 → 애벌레 → 성충의 한살이를 거치는 것

예 노린재, 메뚜기, 사마귀, 매미, 잠자리 등

개념 더하기

● 장수풍뎅이 한살이

▲ 알

▲ 애벌레

▲ 번데기

▲ 성충

● 사마귀와 잠자리 한살이

▲ 사마귀 알

▲ 잠자리 알

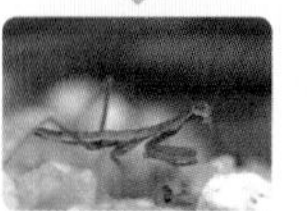
▲ 사마귀 애벌레

▲ 잠자리 애벌레

▲ 사마귀 성충

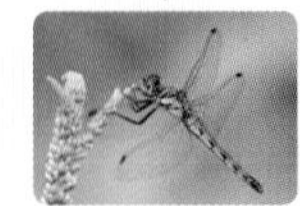
▲ 잠자리 성충

용어 풀이

곤충
몸이 머리, 가슴, 배 세 부분으로 구분되며 가슴에 세 쌍의 다리가 있는 동물

정답

ⓐ 세 ⓑ 한 ⓒ 두 ⓓ 세
ⓔ 완전 ⓕ 불완전

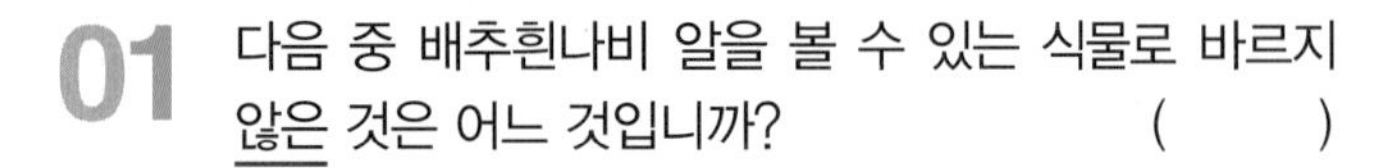

개념기르기

01 다음 중 배추흰나비 알을 볼 수 있는 식물로 바르지 않은 것은 어느 것입니까? ( )

① 무 ② 케일
③ 유채 ④ 선인장
⑤ 양배추

02 다음 중 배추흰나비의 애벌레를 기르는 방법으로 옳지 않은 것은 어느 것입니까? ( )

① 알이나 애벌레를 손으로 직접 만지지 않는다.
② 애벌레에게 먹이를 줄 때는 표면의 물기를 없애고 준다.
③ 애벌레가 허물을 벗을 때에는 충격을 주지 않도록 주의한다.
④ 사육 상자 주변에 모기약을 자주 뿌려 천적의 침입을 막아준다.
⑤ 애벌레가 바닥에 떨어졌을 때는 앞에 배추 잎을 놓아 스스로 기어오르게 한다.

중요

03 다음 〈보기〉 중 배추흰나비를 기르면서 관찰할 수 있는 모습으로 옳은 것을 모두 고른 것은 어느 것입니까? ( )

보기
㉠ 애벌레에서 성충이 나오는 모습
㉡ 애벌레가 먹이를 먹는 모습
㉢ 허물을 벗으며 자라는 모습
㉣ 알에서 애벌레가 나오는 모습

① ㉠, ㉡ ② ㉠, ㉢
③ ㉡, ㉢ ④ ㉡, ㉢, ㉣
⑤ ㉠, ㉡, ㉢, ㉣

04 다음 중 배추흰나비 알에 대한 설명으로 옳은 것은 어느 것입니까? ( )

① 표면에 점이 있다.
② 둥근 공처럼 생겼다.
③ 털이 빽빽하게 나 있다.
④ 크기가 1cm 정도로 매우 작다.
⑤ 색깔은 연한 주황색 또는 연한 노란색이다.

신유형

05 다음 중 배추흰나비 애벌레가 잎을 먹으면 색깔이 변하는 이유로 옳은 것은 어느 것입니까? ( )

① 성충이 더 빨리 된다.
② 먹이를 쉽게 구할 수 있다.
③ 천적의 눈에 잘 띄지 않는다.
④ 번데기로 바뀌기 위해서이다.
⑤ 애벌레의 몸이 더 유연해진다.

06 다음 중 애벌레를 관찰한 모습과 자라는 모습으로 옳은 것은 어느 것입니까? ( )

① 몸에는 털이 없고 매끈하다.
② 자라는 동안 4번의 허물벗기를 한다.
③ 몸은 머리와 가슴 두 부분으로 구분된다.
④ 허물을 벗기 전에 먹는 양이 증가하고 움직임이 빨라진다.
⑤ 알에서 갓 나왔을 때는 초록색이지만 잎을 먹으면 노란색이 된다.

정답 및 해설 6쪽

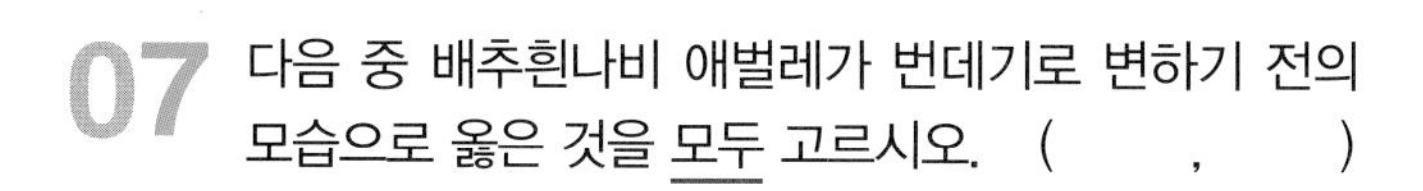

07 다음 중 배추흰나비 애벌레가 번데기로 변하기 전의 모습으로 옳은 것을 모두 고르시오. (,)

① 몸의 색깔이 진해진다.
② 몸의 색깔이 맑아진다.
③ 애벌레가 소리를 낸다.
④ 애벌레에서 냄새가 난다.
⑤ 먹는 것을 멈추고 안전한 곳을 찾아 기어다닌다.

08 다음 〈보기〉는 애벌레가 번데기로 변하는 과정을 순서 없이 나타낸 것입니다. 순서대로 바르게 나열한 것은 어느 것입니까? ( )

보기
㉠ 색깔이 변한다.
㉡ 번데기의 모습이 된다.
㉢ 입에서 실을 내어 몸을 묶는다.
㉣ 머리부터 껍질이 갈라지며 허물을 벗는다.

① ㉠ – ㉡ – ㉢ – ㉣　② ㉡ – ㉠ – ㉢ – ㉣
③ ㉢ – ㉣ – ㉠ – ㉡　④ ㉢ – ㉣ – ㉡ – ㉠
⑤ ㉣ – ㉡ – ㉢ – ㉠

09 다음 중 배추흰나비의 번데기에 대한 설명으로 옳은 것은 어느 것입니까? ( )

① 크기가 점점 크게 자란다.
② 위험해지면 몸을 움추린다.
③ 몸의 길이가 약 10 cm 정도이다.
④ 몸의 색깔이 진한 갈색으로 변한다.
⑤ 표면이 딱딱하고 머리, 가슴, 배로 구분된다.

10 다음 중 배추흰나비 성충이 애벌레나 번데기에 비해 다른 점을 모두 고르시오. (,)

① 허물을 벗으며 점점 크게 자란다.
② 두 쌍의 날개가 비늘로 덮여 있다.
③ 한 개의 긴 대롱 모양의 입이 있다.
④ 한 곳에서 움직이지 않고 붙어 있다.
⑤ 초록색, 갈색 등 주변의 색과 비슷하다.

11 다음 중 사마귀, 잠자리, 장수풍뎅이의 공통점으로 옳지 않은 것을 모두 고르시오. (,)

① 알로 태어난다.
② 번데기 단계가 있다.
③ 성충은 모두 땅에서 생활한다.
④ 애벌레는 식물 위에서 자란다.
⑤ 성충은 두 쌍의 날개와 세 쌍의 다리가 있다.

12 다음 중 완전 탈바꿈을 하는 곤충이 아닌 것은 어느 것입니까? ( )

① 모기　② 파리
③ 매미　④ 풍뎅이
⑤ 무당벌레

서술형으로 다지기

애벌레가 알 껍질에서 나왔을 때 가장 먼저 필요한 것은 무엇일까요?

알 껍질을 먹어서 애벌레가 얻을 수 있는 것은 무엇일까요?

애벌레가 천적으로부터 자신의 흔적을 없애려면 알 껍질을 어떻게 해야 할까요?

01 다음과 같이 배추흰나비 애벌레가 알 껍질 밖으로 나오면 자신이 나온 알 껍질을 갉아 먹습니다. 이렇게 애벌레가 알 껍질을 갉아 먹는 이유를 2가지 적어보세요.

곤충의 특징을 알아 봅니다.

거미에서 곤충의 특징인 다리 세 쌍과 날개를 찾아 봅니다.

머리, 가슴, 배로 구분되는 곤충의 특징을 거미에게 적용해 봅니다.

02 우리 주변에서 흔히 볼 수 있는 벌, 나비 등을 곤충이라고 부릅니다. 하지만 거미는 벌, 나비 등과 같은 곤충이 아닌 거미류로 분류됩니다. 거미가 곤충이 되지 못한 이유를 적어보세요.

03 곤충이 짝짓기를 한 후에 알을 낳고 일정 시간이 지나면 알에서 애벌레가 나옵니다. 애벌레에서 탈피와 탈바꿈을 통해 성충이 되는데 이때 애벌레와 성충의 모습이 많이 다릅니다. 이렇게 곤충이 성장하기 위해 탈피와 탈바꿈을 하는 이유를 적어보세요.

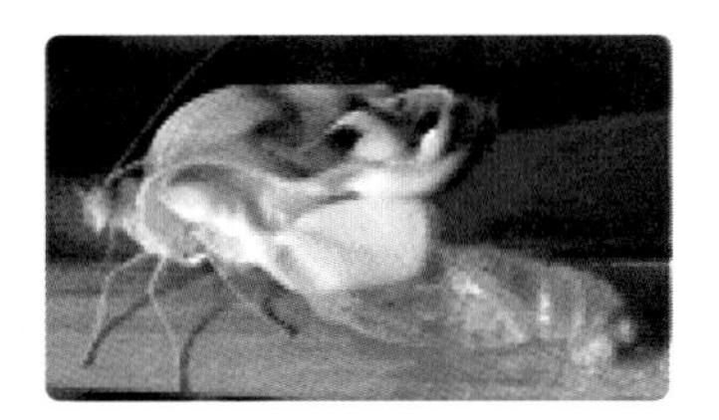

손에 잡히는 문제 해결

탈피와 탈바꿈은 무엇인가요?

▼

탈피와 탈바꿈을 하면 몸의 크기가 어떻게 변하나요?

▼

애벌레의 표피가 잘 늘어나지 않는 것을 생각해 봅니다.

04 다음은 배추흰나비를 관찰하기 위해 사육 상자를 꾸민 모습입니다. 사육 상자에는 배추흰나비의 먹이가 있어야 하고 온도가 따뜻해야 합니다. 또한 바람이 잘 통하게 해 주어야 하며, 방충망을 설치해 천적으로부터 안전하게 만들어주어야 합니다. 배추흰나비를 기르면서 관찰해야 할 것들을 6가지 적어보세요.

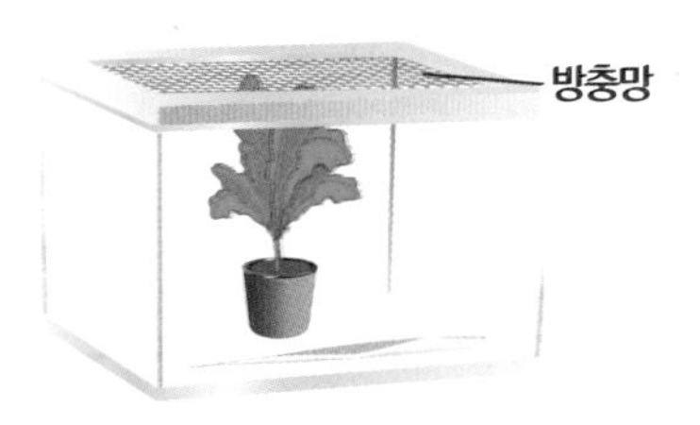

손에 잡히는 문제 해결

배추흰나비 사육 상자를 관찰합니다.

▼

알과 애벌레일 때 관찰해야 할 것은 무엇인가요?

▼

번데기와 나비일 때 관찰해야 할 것은 무엇인가요?

STEAM

- ✓ Science
  - ▶ 모기의 한살이
- ✓ Technology
  - ▶ 폭염, 가뭄
- ✓ Engineering
  - ▶ 산란 장소
- Art
- Mathmatics

2013년 여름, 모기가 사라진 이유는?

2013년 여름은 기록적인 폭염이 나타났고, 10일 넘게 열대야가 지속됐다. 그에 따라 녹조현상이 심해지고, 바닷가에서는 해파리 피해 사고가 늘어나는 등 많은 사건 사고가 있었다. 그런 와중에도 모기와 관련된 피해는 거의 없었다. 최근 질병관리본부에 따르면 2013년 5월, 평년보다 높은 기온 탓에 급증했던 모기가 7월 평년에 비해 23.5%나 감소했다는 발표가 있었다. 본격적인 폭염이 시작된 후엔 전체 모기 발생 밀도는 무려 43.6%나 감소한 것으로 알려졌다.

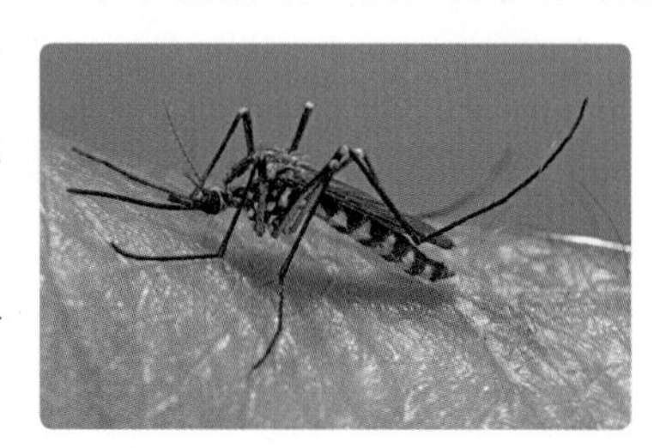

모기가 위험한 이유는 무엇일까? 암모기의 채혈 과정에서 말라리아나 뇌염 등 전염병을 동물과 인간에게 전파시키기 때문에 예로부터 위생 해충으로 알려져 있다. 그 외에도 상피병이라고 알려져 있는 필라리아와 일본뇌염, 황열병 등의 질병이 나타날 수 있다.

모기가 예년에 비해 줄었다고는 하지만, 여전히 모기는 사람을 괴롭히는 존재다. 지자체에서 실시하는 방역 작업과 폭염으로 인해 개체수는 많이 줄었지만, 어느 정도 한계가 있는 것이 사실이다.

모기를 피하기 위한 방법에는 여러 가지가 있는데, 그중 가장 잘 알려져 있는 것은 바로 '잘 씻기' 이다. 모기는 냄새에 민감하므로 땀이나 열이 많은 사람에게 잘 접근한다. 따라서 잘 씻고, 되도록이면 향수 등 강한 냄새를 풍기지 않는 것이 좋다.

용어 풀이

- **폭염**
  매우 심한 더위
- **채혈**
  피를 뽑는 일
- **상피병**
  오염된 물을 통해 발이 감염돼 단단하고 두꺼운 코끼리의 피부와 같이 되는 병
- **황열병**
  황열 바이러스(yellow fever virus)를 병원체로 하는 악성 전염병
- **방역**
  전염병이 발생하거나 유행하는 것을 미리 막는 일

1 더위가 찾아오면 사람을 괴롭히는 모기의 한살이 과정을 4단계로 적어보세요.

모기 한살이

2 2014년 6월 예년보다 빨리 찾아온 더위에 벌써 모기가 기승을 부리고 있습니다. 30℃ 안팎의 이른 더위에 모기의 활동 시기가 빨라진 것입니다. 모기는 주로 여름에만 나타나고 다른 계절에는 잘 나타나지 않습니다. 겨울이 되면 사라지고 더위가 찾아오면 나타나는 모기의 생활을 추리하여 적어보세요.

모기는 겨울에 어떤 모습으로 있어야 추위를 잘 견딜 수 있을까요?

따뜻해지면 모기는 어떤 모습으로 있을까요?

모기는 기온 변화를 어떻게 알까요?

모기와의 전쟁

논술형

3 모기가 사라진 데에는 모기퇴치를 위해 방역활동을 미리 벌여 모기 증식이 억제된 이유도 있지만, 날씨와도 깊은 연관이 있습니다. 2012년은 집중호우로 모기의 알이나 유충이 떠내려가 모기의 발생 수가 줄었고, 2013년은 계속된 폭염과 가뭄 때문에 그 수가 줄었습니다. 폭염과 가뭄으로 어떻게 모기의 발생 수가 줄어든 건지 모기의 한살이 과정과 연관지어 적어보세요.

모기의 한살이 과정을 생각합니다.

폭염과 가뭄은 모기의 한살이에 어떤 영향을 줄까요?

폭염과 가뭄으로 모기의 발생 수가 줄어든 이유는 무엇일까요?

새끼와 알을 낳는

04 여러 가지 동물의 한살이

1 동물의 암수에 따른 생김새와 역할

1. 암수 구별이 쉬운 동물과 어려운 동물

구분			
암수 구별이 어려운 동물	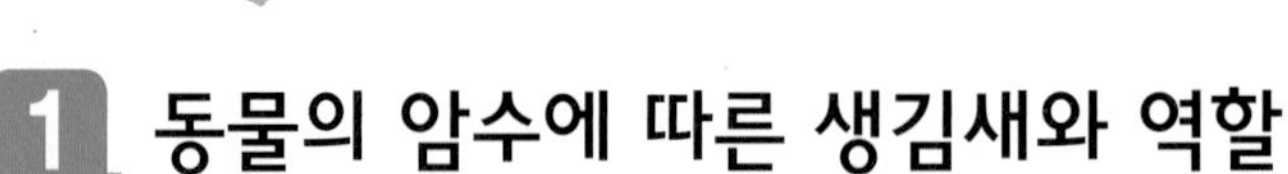 몸의 크기, 모양, 색깔, 무늬 등이 ⓐ______하여 차이가 없다.		
	 ▲ 두루미	 ▲ 다람쥐	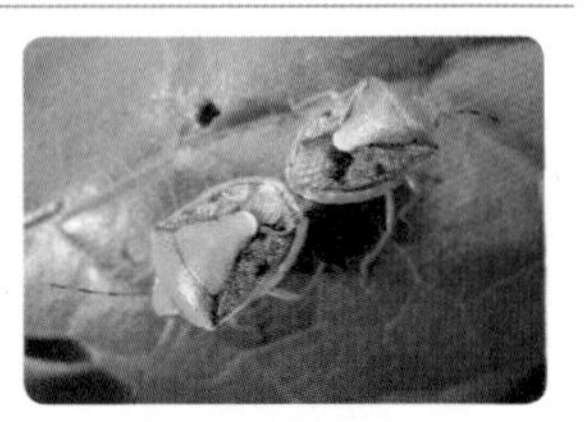 ▲ 노린재
암수 구별이 쉬운 동물	몸의 크기, 모양, 색깔, 무늬 등이 뚜렷하게 구별된다.		
	 ▲ 사자	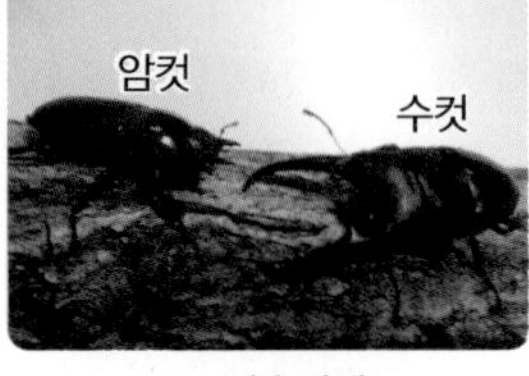 ▲ 사슴벌레	 ▲ 원앙
	• 수컷 : 갈기가 ⓑ____다. • 암컷 : 갈기가 없다.	• 수컷 : 암컷보다 크고 사슴뿔 모양의 큰 ⓒ____이 있다. • 암컷 : 수컷보다 작으며 큰 턱이 짧고 작다.	• 수컷 : 깃털 색깔이 ⓓ______하다. • 암컷 : 깃털 색깔이 수수하다.

2. 새끼를 돌보는 과정에서 암수가 하는 역할

구분	동물	구분	동물
암수가 함께 알이나 새끼를 돌보는 동물	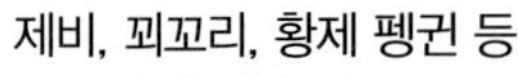 제비, 꾀꼬리, 황제 펭귄 등 	수컷이 홀로 알을 돌보는 동물	가시고기, 물자라, 꺽지, 물장군 등 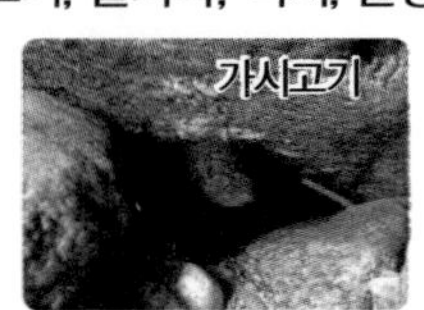
알을 낳은 뒤 돌보지 않는 동물	바다거북, 자라, 노린재, 개구리 등 	암컷이 홀로 새끼를 돌보는 동물	곰, 소, 산양, 바다코끼리 등 

개념 더하기

● 알이나 새끼를 낳기 전 암수가 하는 일
• 알이나 새끼를 낳기 위하여 짝짓기를 한다.
• 수컷은 정자를 제공하고, 암컷은 알이나 새끼를 낳는다.

용어 풀이

갈기
말이나 사자 따위의 목덜미에 난 긴 털

정답
ⓐ 비슷 ⓑ 있 ⓒ 턱
ⓓ 화려

2 새끼를 낳는 동물의 한살이

1. 개의 한살이

갓 태어난 강아지	눈이 감겨 있고 귀도 막혀 있다.
어린 강아지(2~3주)	눈을 떠 사물을 볼 수 있고, 귀가 열려 소리를 들을 수 있다.
큰 강아지(6~8주)	이빨이 나고 먹이를 씹어 먹기 시작한다.
다 자란 개(9~12개월)	짝짓기를 하여 새끼를 낳을 수 있다.

2. 갓 태어난 강아지와 다 자란 개의 특징

구분	갓 태어난 강아지	다 자란 개
공통점	• 몸이 털로 덮여 있고 꼬리가 있다. • 다리가 네 개이고, 코는 털이 없고 촉촉하다. • 주둥이가 길쭉하게 튀어나온 모양이다.	
차이점	• 눈이 감겨 있고 귀도 막혀 있다. • 이빨이 없어 씹지 못한다. • 다리에 힘이 없어 일어설 수 없다. • ⓐ______을 먹는다.	• 눈을 떠 사물을 볼 수 있고, 귀로 소리를 들을 수 있다. • 이빨이 있어 뜯거나 씹어 먹는다. • 튼튼한 다리로 걷거나 달린다. • 밥이나 고기, 사료 등을 먹는다.

3. 새끼를 낳는 동물의 한살이

① 새끼를 낳는 동물의 예 : 고양이, 소, 햄스터, 다람쥐, 쥐, 토끼, 고래, 코끼리, 기린, 호랑이, 사자, 표범, 박쥐 등

② 새끼를 낳는 동물의 한살이 과정

새끼로 태어나면 젖을 먹으며 자란다. → 이빨이 나고 먹이를 먹기 시작한다. → 다 자란 암수가 만나 ⓑ______를 한다. → 시간이 지나면 암컷은 ⓒ______를 낳고 기른다.

③ 새끼를 낳는 동물의 한살이에서 나타나는 공통점

• 어미와 비슷한 생김새의 새끼가 태어난다.
• 태어나서 어미 젖을 먹고 자란다.
• 몸이 털과 가죽으로 덮여 있다.
• 다 자랄 때까지 부모의 ⓓ______을 받는다.

개념 더하기

● 강아지가 태어나는 과정

㉠ 다 자란 개의 암컷과 수컷이 짝짓기를 한다.
㉡ 암컷의 배 속에서 새끼가 생겨 자란다.
㉢ 두 달이 지나면 어미 개가 진통을 시작한다.
㉣ 어미의 몸에서 태반이라고 하는 주머니에 싸인 새끼가 나온다.
㉤ 어미 개는 갓 태어난 새끼의 몸을 싸고 있는 태반을 핥아서 새끼의 몸을 말려준다.

정답

ⓐ 어미 젖 ⓑ 짝짓기 ⓒ 새끼 ⓓ 보살핌

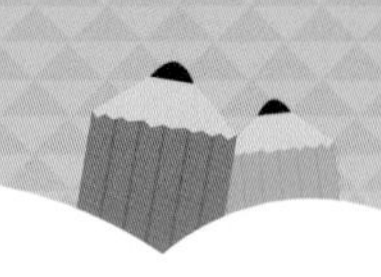

04 여러 가지 동물의 한살이

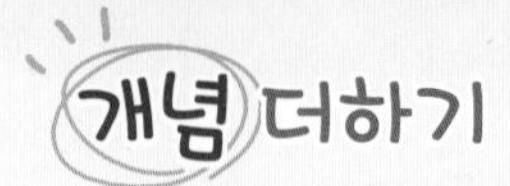
개념 더하기

● 닭의 부화 과정
㉠ 부리 끝으로 알을 쪼아 구멍을 낸다.
㉡ 병아리의 몸이 보이기 시작한다.
㉢ 알에서 몸을 돌려 나오려고 한다.
㉣ 껍데기 밖으로 나온다.
㉤ 몸에 있는 물기를 말린다.
㉥ 몸을 말리고 일어선다.

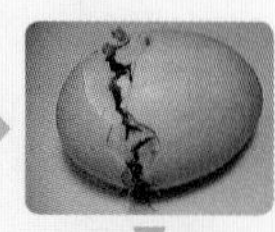

3 땅에 알을 낳는 동물의 한살이

1. 닭의 한살이

알	단단한 껍데기에 싸여 있다.
부화	어미 닭이 알을 품은 지 약 21일이 지나면 병아리는 부리로 껍데기를 깨고 나온다.
병아리(1일)	병아리는 솜털로 덮여 있다.
어린 닭(30일)	솜털이 깃털로 바뀐다.
다 자란 닭(6개월)	수탉은 볏과 꽁지깃이 길고 화려하고, 암컷은 알을 낳는다.

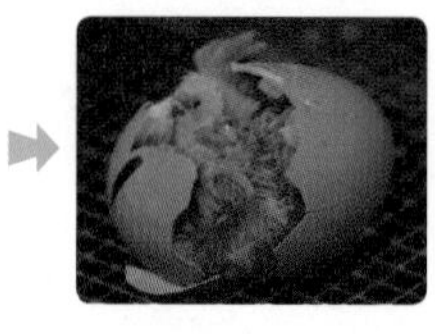

2. 병아리와 닭의 특징

구분	병아리	다 자란 닭
공통점	• 날개와 다리가 각각 두 개씩 있고, 입은 부리로 되어 있다.	
차이점	• 몸이 ⓐ____털로 덮여 있다. • 볏과 꽁지깃이 없다. 	• 몸이 ⓑ____털로 덮여 있다. • 이마와 턱에 볏이 있다. • 꽁지깃이 길게 자라 있다. 

3. 암탉과 수탉 비교하기

수탉	암탉
• 색깔이 화려하다. • ⓒ____이 크고 화려하다. • ⓓ________이 길고 휘어진다. 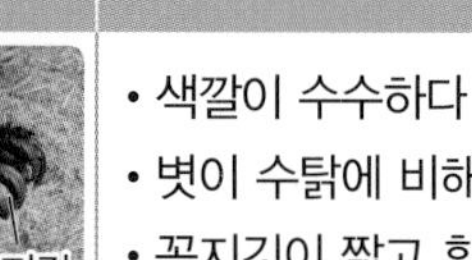	• 색깔이 수수하다 • 볏이 수탉에 비해 작다. • 꽁지깃이 짧고 휘어지지 않는다. 

4. 알을 낳는 동물의 한살이

① **땅에 알을 낳는 동물의 예** : 나비, 파리, 비둘기, 타조, 사마귀, 호랑거미, 광대노린재, 장수말벌, 땅강아지, 거북, 참새 등

② **땅에 알을 낳는 동물의 한살이 과정**

알에서 부화하여 새끼가 나온다. → 먹이를 먹으며 성장한다. → 암수가 만나 ⓔ________를 한다. → 암컷은 적당한 장소를 찾아 알을 낳는다.

용어 풀이
부화(알을 깔 孵, 될 化)
알 속에서 새끼가 껍질을 깨고 밖으로 나오는 것

정답
ⓐ 솜 ⓑ 깃 ⓒ 볏
ⓓ 꽁지깃 ⓔ 짝짓기

4 물에 알을 낳는 동물의 한살이 심화

1. 개구리의 알, 올챙이, 개구리의 생김새와 특징

구분	사진	특징
알	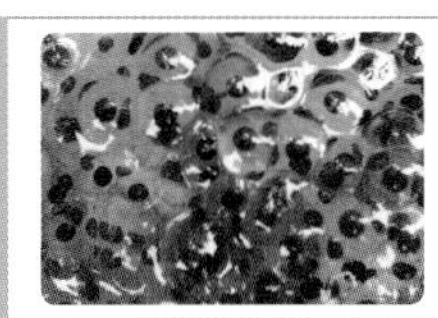	• 여러 개가 뭉쳐서 덩어리를 이루고 있다. • 둥글고 투명한 ⓐ______로 싸여 있어 만지면 미끈하다. • 우무질 속의 알은 위쪽이 검고 아래쪽은 하얀색이다.
올챙이	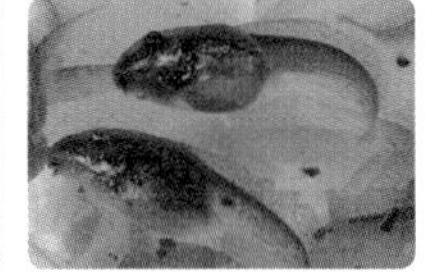	• 머리 : 둥글고 눈과 입이 있으며, 한 쌍의 아가미가 있다. • 배 : 하얀색에 가깝고 볼록하며, 내장이 보이기도 한다. • 꼬리 : 물고기의 지느러미와 비슷하다.
개구리		• 눈 : 머리 위로 볼록 튀어나와 있다. • 입 : 매우 크며, 끈적거리는 긴 혀를 뻗어 움직이는 벌레를 잡아먹는다. • 앞다리 : 짧고 발가락에 물갈퀴가 없다. • 뒷다리 : 길고 튼튼하며, 발가락에 ⓑ______가 있어 헤엄을 잘 친다.

2. 올챙이와 개구리 비교하기

올챙이	개구리
• 아가미와 꼬리가 있다. • 물속에서 살며, 꼬리를 이용하여 헤엄친다. • 물속 플랑크톤이나 죽은 동물을 먹는다. • ⓒ______로 호흡한다.	• 다리가 네 개 있고 꼬리는 없다. • 물과 땅에서 살며, 뒷다리를 이용하여 뛰거나 헤엄친다. • 움직이는 작은 곤충이나 벌레를 먹는다. • 허파와 ⓓ______로 숨을 쉰다.

3. 물에 알을 낳는 동물의 한살이

① 물에 알을 낳는 동물의 예 : 붕어, 메기, 연어, 고등어, 잠자리, 두꺼비, 도롱뇽, 청개구리, 하루살이, 물방개, 가재 등

② 개구리의 한살이

알이 우무질에 싸여 있다. ➡ 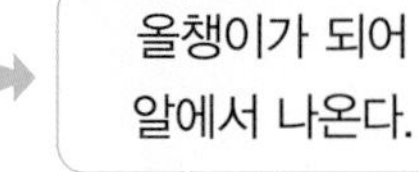 올챙이가 되어 알에서 나온다. ➡  ⓔ___다리가 나온다. ➡ ⓕ___다리가 나온다. ➡ 꼬리가 짧아지고, 허파로 숨을 쉰다. ➡ 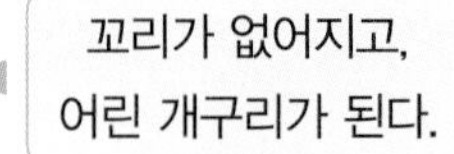 꼬리가 없어지고, 어린 개구리가 된다. ➡ 다 자란 개구리는 암수가 만나 짝짓기를 하고, 물속에 알을 낳는다.

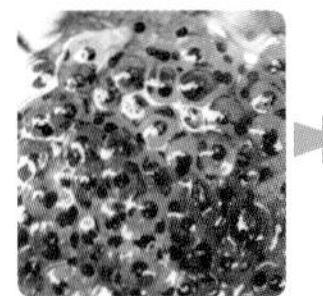 ➡ 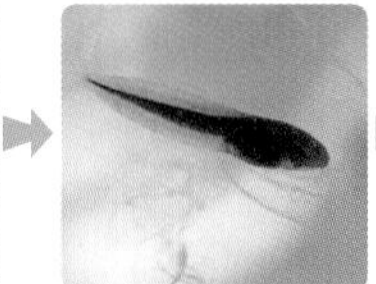 ➡ 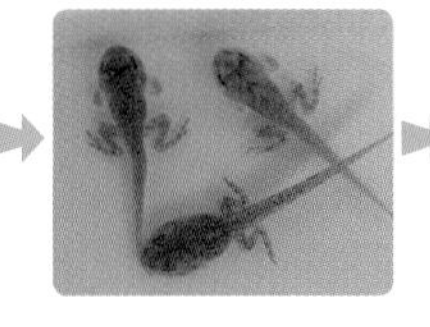 ➡  ➡ 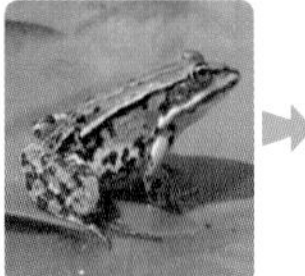 ➡ 

개념 더하기

● 개구리가 알을 낳는 장소
- 연못이나 논처럼 물이 흐르지 않는 곳
- 물이 얕고 낙엽이나 풀이 있는 곳

● 물에 알을 낳는 동물
- 어린 시절을 물속에서 지내고 자라서는 물과 땅을 오가며 생활하는 동물 : 개구리, 도롱뇽, 두꺼비, 맹꽁이 등
- 물속에서 알을 낳고 평생을 물속에서 살아가는 동물 : 연어, 붕어, 고등어 등
- 어린 시절을 물속에 보내고 자라면 물 밖에서 살아가는 동물 : 잠자리, 하루살이, 모기 등

용어 풀이

우무질
젤리처럼 물렁물렁하고, 무색 투명한 물질

아가미
물속에 사는 동물에 발달한 호흡 기관

정답

ⓐ 우무질 ⓑ 물갈퀴
ⓒ 아가미 ⓓ 피부 ⓔ 뒷
ⓕ 앞

개념기르기

01 다음 중 암수 구별이 쉬운 동물로 옳은 것을 모두 고르시오. (,)

① 
두루미

② 
원앙

③ 
사슴벌레

④ 
다람쥐

⑤ 
노린재

02 다음 〈보기〉 중 새끼를 돌보는 과정에서 암수가 하는 역할에 대한 설명으로 옳은 것을 모두 고른 것은 어느 것입니까? ( )

㉠ 가시고기는 수컷이 홀로 알을 돌보는 동물이다.
㉡ 바다거북은 적당한 장소에 알을 낳은 뒤 돌보지 않고 떠나는 동물이다.
㉢ 제비는 암수가 함께 알이나 새끼를 돌보는 동물이다.

① ㉢
② ㉠, ㉡
③ ㉠, ㉢
④ ㉡, ㉢
⑤ ㉠, ㉡, ㉢

03 다음 중 갓 태어난 강아지와 다 자란 개의 공통점으로 옳은 것을 모두 고르시오. (,)

① 이빨이 있다.
② 걷거나 달릴 수 있다.
③ 코에 털이 없고 촉촉하다.
④ 밥이나 고기, 사료 등을 먹는다.
⑤ 몸이 털로 덮여 있고 꼬리가 있다.

04 다음 중 새끼를 낳는 동물로 옳지 않은 것은 어느 것입니까? ( )

① 붕어
② 박쥐
③ 고래
④ 햄스터
⑤ 호랑이

05 다음 중 새끼를 낳는 동물의 한살이를 설명한 것으로 옳은 것은 어느 것입니까? ( )

① 몸이 깃털로 덮여 있다.
② 자라면서 허물을 벗는다.
③ 젖을 먹여 새끼를 기른다.
④ 새끼와 어미의 생김새가 많이 다르다.
⑤ 태어남과 동시에 부모로부터 독립한다.

06 다음 중 닭의 한살이에 대한 설명으로 옳은 것은 어느 것입니까? ( )

① 알은 단단한 껍데기에 싸여 있다.
② 병아리는 몸이 깃털로 덮여 있다.
③ 어린 닭은 몸이 솜털로 덮여 있다.
④ 다 자란 닭은 암수의 구별이 어려운 동물이다.
⑤ 어미 닭이 알을 품은 지 14일이 지나면 알에서 병아리가 나온다.

07 다음 〈보기〉 중 다 자란 암탉과 수탉에 대한 설명으로 옳은 것을 모두 고른 것은? ( )

보기
㉠ 수탉은 암탉에 비해 볏이 크고 화려하다.
㉡ 암탉은 수탉에 비해 꽁지깃이 길다.
㉢ 수탉은 색깔이 화려하고, 암탉은 색깔이 수수하다.
㉣ 암탉과 수탉 모두 이마와 턱에 볏이 있다.

① ㉠, ㉡ ② ㉡, ㉢
③ ㉠, ㉢, ㉣ ④ ㉡, ㉢, ㉣
⑤ ㉠, ㉡, ㉢, ㉣

08 다음 중 땅에 알을 낳는 동물로 옳지 않은 것은 어느 것입니까? ( )

① 참새 ② 사마귀
③ 호랑거미 ④ 장수말벌
⑤ 하루살이

09 다음 중 개구리 알에 대한 설명으로 옳지 않은 것은 어느 것입니까? ( )

① 모양이 둥글다.
② 만지면 미끈하다.
③ 투명한 우무질로 싸여 있다.
④ 우무질 속의 알은 위쪽이 하얗고, 아래쪽이 검은색이다.
⑤ 논이나 연못처럼 물이 거의 흐르지 않는 곳에서 볼 수 있다.

10 다음 중 올챙이와 개구리에 대한 설명으로 옳은 것은 어느 것입니까? ( )

① 개구리는 물속에서만 생활한다.
② 올챙이는 허파와 피부로 숨을 쉰다.
③ 개구리는 아가미와 피부로 숨을 쉰다.
④ 개구리는 다리가 네 개이며, 꼬리가 없다.
⑤ 올챙이는 작은 곤충이나 벌레를 먹고 산다.

11 다음 〈보기〉는 개구리의 한살이 과정을 순서없이 나타낸 것입니다. 순서대로 바르게 나열한 것은 어느 것입니까? ( )

보기
㉠ 앞다리가 나온다.
㉡ 올챙이가 되어 알에서 나온다.
㉢ 뒷다리가 나온다.
㉣ 꼬리가 짧아지고, 허파로 숨을 쉰다.

① ㉠ – ㉡ – ㉢ – ㉣ ② ㉡ – ㉠ – ㉢ – ㉣
③ ㉡ – ㉢ – ㉠ – ㉣ ④ ㉢ – ㉣ – ㉡ – ㉠
⑤ ㉣ – ㉡ – ㉢ – ㉠

서술형으로 다지기

상어의 모습과 특징을 생각해 봅니다.

▼

돌고래의 모습과 특징을 생각해 봅니다.

▼

상어와 돌고래의 모습과 특징을 비교하여 차이점을 찾아 봅니다.

01 상어와 돌고래는 물속에 살고, 몸이 유선형으로 비슷하지만 상어와 돌고래는 많은 차이점이 있습니다. 상어와 돌고래의 차이점을 <u>두 가지</u> 적어보세요.

달걀 속과 밖은 기체를 교환합니다.

▼

니스를 바르면 코팅을 한 것처럼 광택이 나고 공기와의 접촉을 막아줍니다.

▼

달걀 껍데기에 니스를 칠하면 밖의 공기가 안으로 들어갈 수 있을까요?

02 달걀은 닭이 품으면 부화하여 병아리가 되지만 껍데기에 니스를 칠한 달걀은 닭이 품어도 부화하지 않습니다. 니스를 칠한 달걀에서 병아리가 나오지 않는 이유를 적어보세요.

03 개구리 알은 둥글고 투명한 우무질로 싸여 있어 만지면 미끈미끈합니다. 또한 여러 개가 뭉쳐서 덩어리를 이루고 있습니다. 개구리알이 이런 특징을 가지고 있어서 좋은 점을 두 가지 적어보세요.

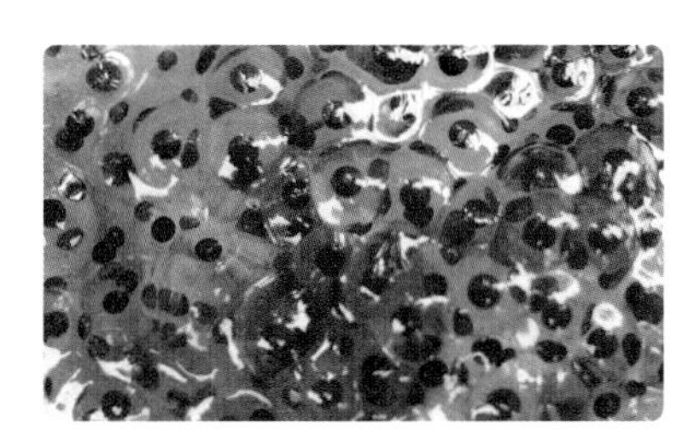

개구리 알을 관찰해 봅니다.

딱딱하지 않고 부드러운 우무질로 되어 있을 때 장점은 무엇일까요?

혼자 있지 않고 뭉쳐서 덩어리가 졌을 때의 장점은 무엇일까요?

04 다음과 같이 올챙이는 물속에서만 살다가 개구리가 되면 물과 육지에서 생활합니다. 만약 물에 사는 물고기가 땅에서 살아야 한다면 물고기에 어떤 변화가 생겨야 할지 추리하여 세 가지 적어보세요.

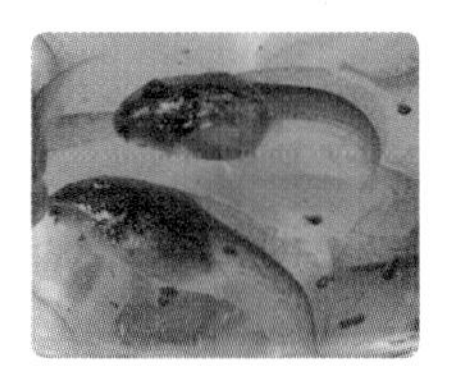

손에 잡히는 문제 해결

물고기는 땅에서 어떻게 움직일까요?

물고기는 땅에서 어떻게 숨을 쉴 수 있을까요?

체외 수정을 하던 물고기는 어떻게 수정하게 될까요?

융합사고력 키우기

- ✓ Science
  - ▶ DNA, 형질
- ✓ Technology
  - ▶ 형질전환
- ✓ Engineering
  - ▶ 유전자 조작
- Art
- Mathmatics

인슐린 계란 낳을 형광 닭

맛 좋고 단백질도 풍부한 닭고기는 다이어트 식품으로도 인기를 끌며 꾸준히 소비가 늘고 있다. 우리나라 사람은 해마다 닭고기를 10kg 넘게 먹는다는 통계도 있다. 이처럼 닭은 중요한 식량자원으로 인정받고 있지만, 닭의 형질을 안정적으로 바꾸는 기술은 아직 나오지 않았다. 최근 국내 연구진이 형질전환 닭을 안전하고 효율적으로 생산하는 기술을 개발해 주목받고 있다.

서울대 농생명공학부 한재용 교수와 박태섭 박사는 닭의 형질을 안전한 방법으로 바꿔 형광빛을 내게 하는 데 성공했다. 한재용 교수와 박태섭 박사연구팀은 형광단백질을 만드는 유전자를 '피기백'이라는 DNA틀에 끼운 뒤 닭의 원시생식세포에 넣었다. 이 세포는 90% 이상이 정상적으로 분화해 닭으로 자랐다. 유전자를 조작한 부위에 따라 부리나 발, 머리, 가슴, 날개에서 각각 녹색 형광빛을 냈다. 각 형질이 다음 세대에서도 그대로 나타나는 것도 확인했다.

지금까지 닭의 형질을 바꿀 때 바이러스를 DNA틀로 이용한 경우가 많았다. 그러나 바이러스에서 유래한 DNA틀이기 때문에 돌연변이 우려가 있고 효율도 낮아 의학적으로나 산업적으로나 활용하기가 어려웠다.

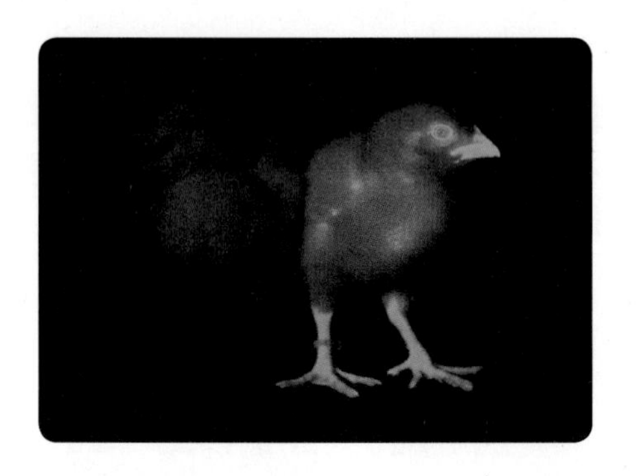

형광 닭

용어 풀이

- **형질**
  어떤 생명체가 가지고 있는 모양이나 속성을 지칭하는 말
- **형질전환**
  외부에서 주어진 DNA에 의해 생명체의 개체나 세포의 형질이 유전적으로 변하는 현상
- **DNA**
  유전 정보를 저장하는 하나의 형태로 2중 나선 구조로 되어 있다.
- **원시생식세포**
  앞으로 생식세포(정자, 난자)가 되기 위해 변하는 세포

1 형광단백질을 만드는 유전자 끼운 DNA틀의 이름은 무엇인가요?

2 위 지문에서 "각 형질이 다음 세대에서도 그대로 나타나는 것도 확인했다"는 글이 있다. 이 부분을 확인한 것은 과학적으로 어떤 의미가 있는지 추리하여 적어보세요.

형질전환에 대해 생각해 봅니다.

▼

부모에 형질전환한 것이 다음 세대에 그대로 나타난 의미는 무엇일까요?

▼

전환된 형질이 나타난 것은 어떤 의미가 있을까요?

논술형

3 한 교수는 "피기백은 곤충에서 유래한 것이기 때문에 의학적으로 안전하다는 장점이 있다"며 "이 기술을 활용하면 원하는 유전자를 넣어 형질전환한 닭을 생산할 수 있을 것으로 기대한다"고 말했습니다. 인슐린과 같은 의약물질이나 알러지를 줄이는 물질을 생산하는 닭을 만들면 달걀을 이용해 해당 물질을 대량생산할 수 있다는 설명입니다. 형질전환한 닭을 이용하여 생산할 수 있는 사람에게 유용한 달걀을 생각해 적어보세요.

형질전환을 하는 이유는 무엇일까요?

▼

달걀에 어떤 영양 성분이 들어 있으면 좋을까요?

▼

달걀에 어떤 특수한 성분이 들어 있으면 좋을까요?

탐구력 키우기

초파리의 한살이

과일 껍질 주변이나 쓰레기통 주변을 자세히 관찰하면 빨간 눈을 가진 아주 작은 초파리가 빠르게 날아다닙니다. 초파리는 실내에서 기르기 쉽고, 한살이 과정이 2주 정도로 짧기 때문에 유전 연구에 많이 사용됩니다. 초파리를 채집하여 초파리의 한살이를 관찰해 보세요.

준비물

페트병, 가위, 종이, 루페 또는 돋보기, 투명 그릇, 솜 또는 스타킹, 알코올 또는 소독약

탐구 과정

① 종이를 동그랗게 잘라 깔때기 모양을 만들고, 가장자리를 자른다.
② 페트병을 절반으로 자른다.
③ 페트병에 포도나 참외 등 과일 껍질을 조금 넣는다.
④ 깔때기 모양의 종이를 페트병 입구에 끼운다.
⑤ 음식물 쓰레기통 주변에 하루동안 페트병을 놓아두고 초파리를 채집한다.
⑥ 페트병 위 한쪽에 투명 그릇을 씌우고 깔때기 종이를 약간 들어올려 초파리를 몇 마리만 투명 그릇으로 옮긴 후, 페트병을 솜이나 스타킹으로 막아둔다.
⑦ 투명 그릇을 거꾸로 든 채 아래에서 뚜껑을 닫는다.
⑧ 뚜껑 가장자리를 살짝 열고 알코올을 묻힌 작은 솜뭉치를 넣어 초파리를 마취한다.
⑨ 돋보기로 초파리를 관찰한다. 루페가 있는 경우 투명 그릇 대신 루페에 담아 관찰한다.
⑩ 15일 동안 페트병 안의 초파리를 키우면서, 초파리의 알, 애벌레, 번데기를 관찰한다.

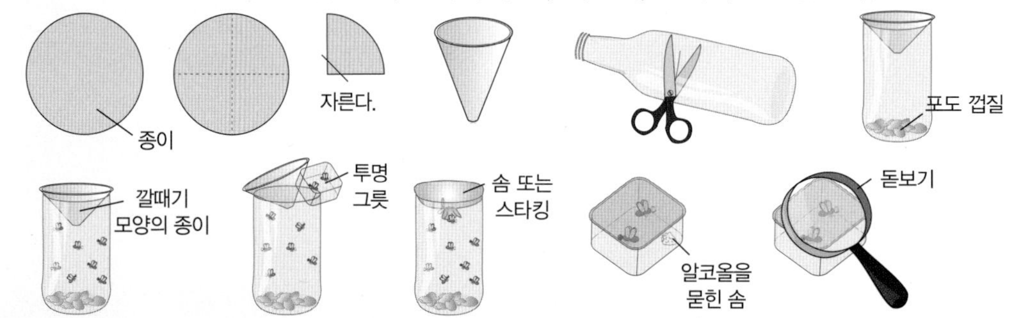

주의사항

- ⑥ 과정에서 페트병 안에 초파리를 남겨두어야 한다.
- ⑧ 과정에서 알코올을 너무 많이 넣으면 초파리가 죽게 되므로 조금만 넣는다.
- 초파리는 병 위쪽으로 날아가기 때문에 병을 거꾸로 들면 초파리가 밖으로 나가지 못한다.

정답 및 해설
9쪽

1. 음식물 쓰레기통 주변에 포도 껍질이 든 페트병을 하루 동안 놓아두면 어떤 변화가 생기는지 적어보세요.

2. 돋보기를 이용하여 초파리를 관찰한 후, 초파리의 생김새를 그리고 그 특징을 적어보세요.

▼ 초파리의 생김새

3. 2주 동안 페트병 속 초파리의 한살이를 관찰한 결과를 적어보세요.

①

②

③

④

조파리 한살이

STEAM

4. 동물은 알이나 새끼를 낳아 번식합니다. 초파리나 배추흰나비는 한 번에 50개 가량의 알을 낳지만, 닭은 한 번에 한 개의 알만 낳습니다. 동물마다 알을 낳는 수가 다른 이유를 추리하여 적어보세요.

▲ 배추흰나비 알

▲ 알을 품고 있는 암탉

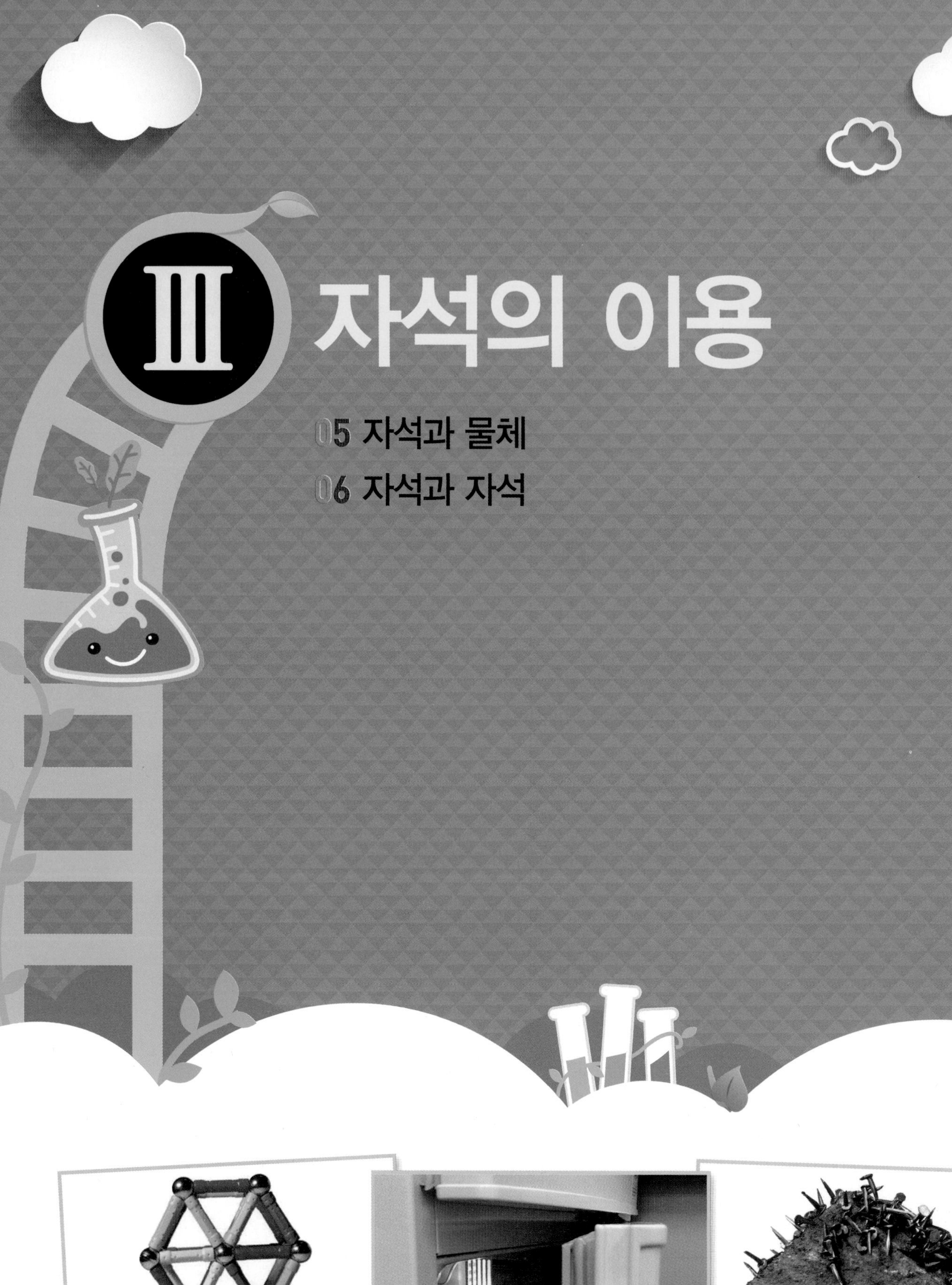

Ⅲ 자석의 이용

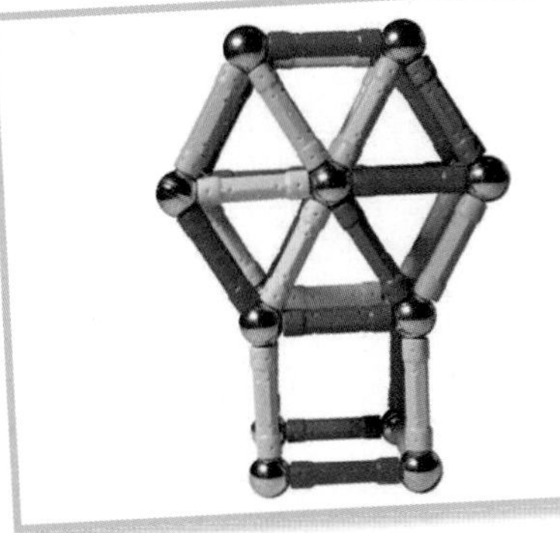

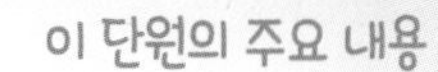

자석의 여러 가지 성질을 다룬다. 자석은 금속을 당기거나 다른 자석을 밀거나 당기는 독특한 성질을 가지고 있으며, 모양이 다르더라도 자석의 고유한 성질은 변하지 않는다.

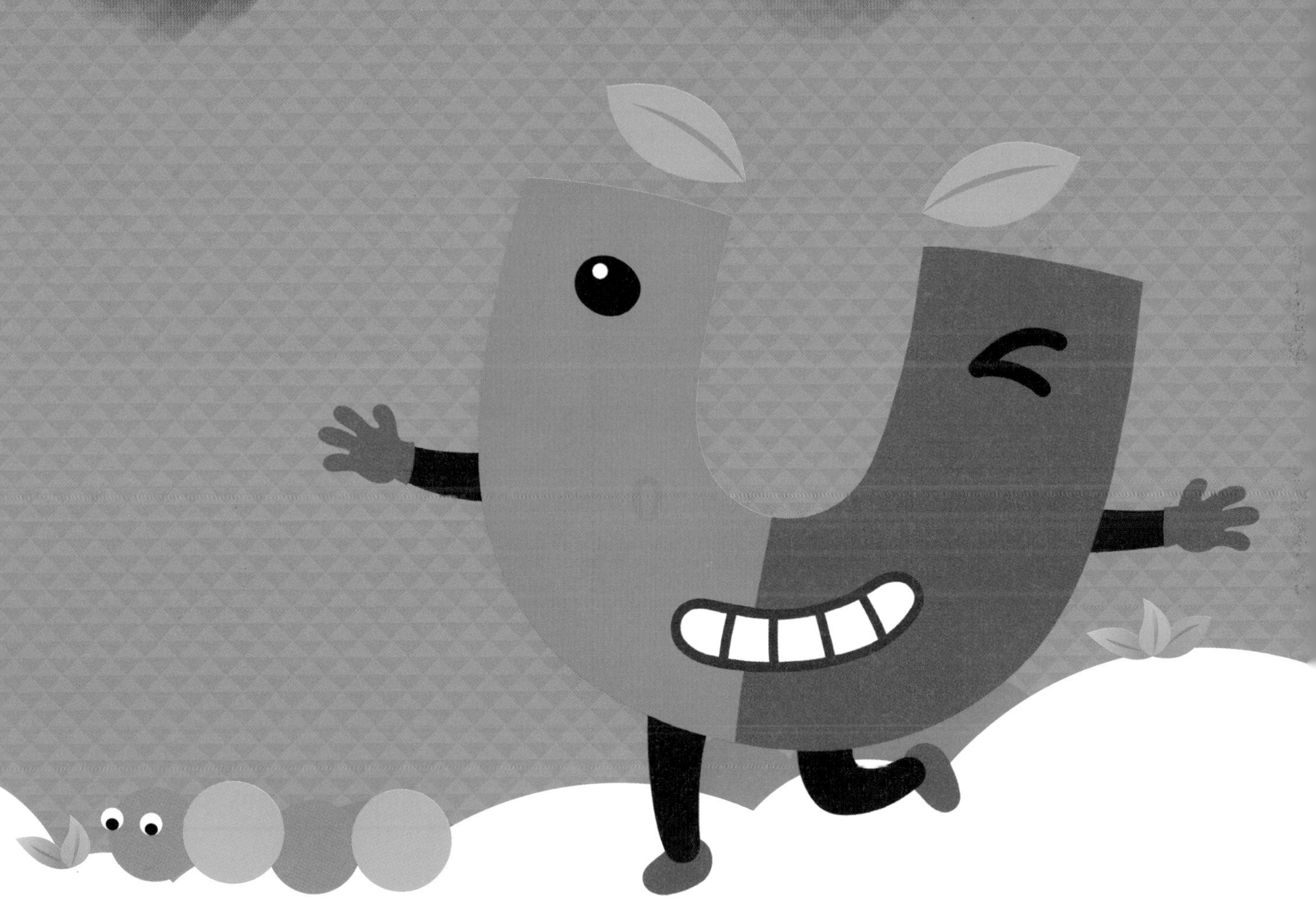

★ 2015 개정 교육과정 교과서

초등 3~4학년 군 :
3학년 1학기 3단원 자석의 이용

★ 다른 학년과의 연계

초등 5~6학년 군 : 전기의 이용
중학교 1~3학년 군 : 전기와 자기

철로 된 물체를 끌어당기는

05 자석과 물체

● **자석에 붙는 금속**

모든 금속이 자석에 붙는 것은 아니다. 철, 니켈, 코발트와 이들을 섞어 만든 금속만 자석에 붙는다. 알루미늄, 크롬, 금, 은, 구리, 백금 등의 금속은 자석에 붙지 않는다.

● **캔 분리 배출 표시**

- 철 캔과 알루미늄 캔은 겉으로 보아 구분하기 어려우므로 캔의 뒷면에 표시된 분리 배출 표시를 이용한다.
- 철 캔 : 음료수 캔, 맥주 캔 등
- 알루미늄 캔 : 살충제 통, 음료수 캔, 가스통 등

철

알루미늄

용어 풀이

자석(자석 磁, 돌 石)
쇳조각을 끌어당기고 자석끼리 밀거나 당기는 힘이 작용하는 물체

정답

ⓐ 다양 ⓑ 철

1 자석에 붙는 물체

1. 여러 가지 모양의 자석

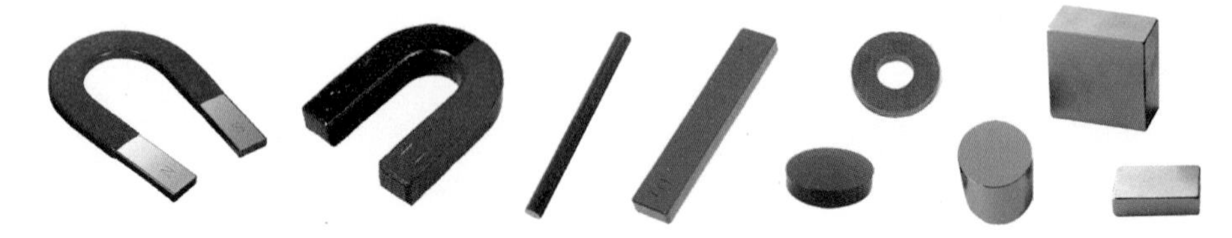

① 자석은 둥근 모양, 네모 모양, 막대 모양, 고리 모양, U자 모양, 봉 모양 등 ⓐ______하다.

② 자석은 쓰임새에 따라 모양, 색깔, 크기가 다양하다.

2. 주변에서 찾을 수 있는 여러 가지 자석

자석이 종이나 플라스틱에 붙어 있는 것도 있다.

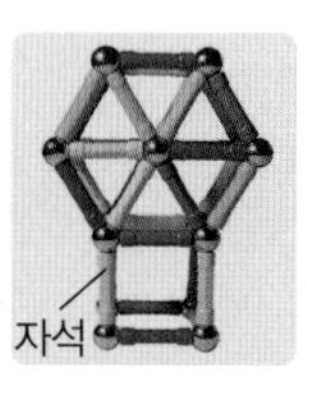

3. 자석에 붙는 물체 찾아보기

자석에 붙는 물체	자석에 붙지 않는 물체
클립, 못, 철 캔, 자석 칠판, 철 컵, 소화기, 창틀, 책상 다리, 의자 다리, 가위 등	동전, 연필, 공책, 지우개, 거울, 알루미늄 캔, 교실 문, 유리컵, 플라스틱 자 등
ⓑ______로 만들어졌다.	유리, 플라스틱, 종이, 고무, 알루미늄, 구리 등으로 만들어졌다.

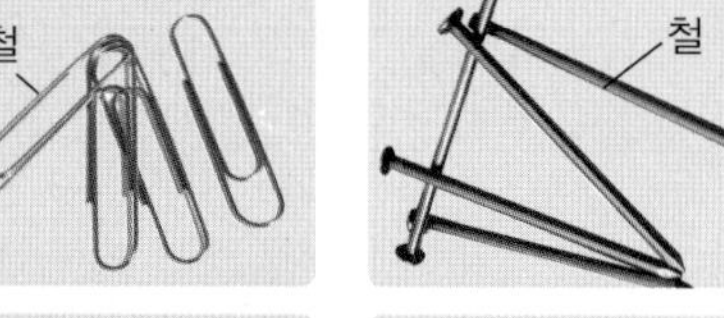

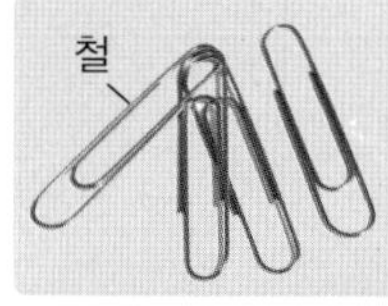

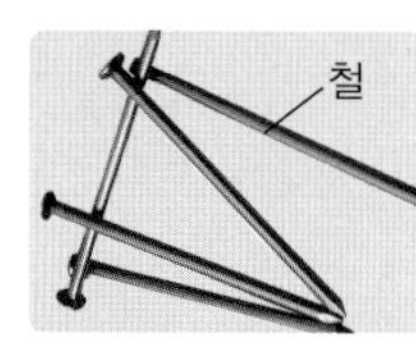

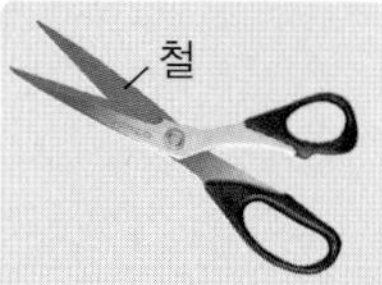

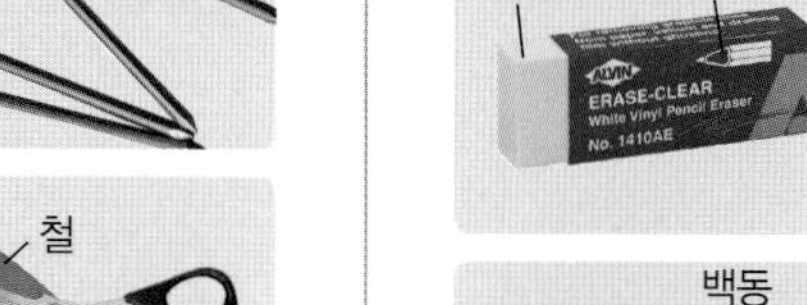

4. 집에 있는 물체 중에서 자석에 붙는 물체와 붙지 않는 물체

① **자석에 붙는 물체 :** 냉장고, 머리핀, 현관문, 숟가락, 젓가락, 문손잡이 등

② **자석에 붙지 않는 물체 :** 침대, 소파, 식탁, 책장, 나무 의자, 인형 등

2 자석과 물체가 서로 끌어당기는 힘

1. 클립을 실에 끼워 자석 가까이 가져가 보기

① 어느 순간 클립이 ⓐ______ 쪽으로 끌려 간다.

② 자석은 물체와 떨어져 있어도 물체를 ⓑ__________는 힘이 작용한다.

2. 자석과 클립 사이에 다른 물체 넣어 보기

★탐구 자석과 클립 사이에 다른 물체 넣어 보기

탐구 과정

① 클립을 실에 끼운다.

② 셀로판테이프를 이용하여 책상 위에 실을 고정한다.

③ 자석을 이용하여 클립을 공중에 띄운다.

④ 자석과 클립 사이에 종이, 유리판, 플라스틱 판, 알루미늄박, 동전, 철 판을 각각 넣으면서 나타나는 현상을 관찰한다.

탐구 결과

물체	결과	물체	결과
종이	클립이 그대로 있는다.	알루미늄박	클립이 그대로 있는다.
유리판	클립이 그대로 있는다.	동전	클립이 그대로 있는다.
플라스틱 판	클립이 그대로 있는다.	철 판	클립이 떨어진다.

탐구 결론

① 자석이 클립과 떨어져 있어도 자석과 클립은 서로 ⓒ__________는 힘이 작용한다.

② 자석과 물체가 서로 끌어당기는 힘은 자석에 붙지 ⓓ______ 물체를 통과하여 작용한다.

③ 자석과 물체가 서로 끌어당기는 힘은 자석에 붙는 물체를 통과하여 작용하지 않는다.

개념 더하기

● 냉장고 문의 자석

냉장고 문의 안쪽 테두리에는 자석이 붙어 있어서 냉장고 문이 몸체(철)에 가까이 가면 저절로 닫힌다.

● 물을 통과하는 자석의 힘

자석의 힘은 물을 통과하여 작용한다. 종이로 만든 물고기에 클립을 끼운 후 실로 연결하여 물이 담긴 비커 바닥에 붙이고, 자석을 가까이 하면 클립에 끼워진 물고기가 바로 선다.

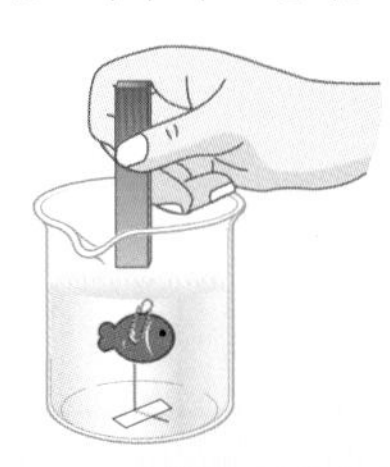

용어 풀이

작용(만들 作, 쓸 用)
어떠한 현상을 일으키거나 영향을 미침

정답

ⓐ 자석 ⓑ 끌어당기
ⓒ 끌어당기 ⓓ 않는

05 자석과 물체

● 흩어진 클립을 쉽게 모으는 방법
- 자석을 이용하면 흩어진 클립을 쉽게 모을 수 있다.
- 자석의 양쪽 끝 부분을 클립에 가까이 가져가는 것이 좋다.

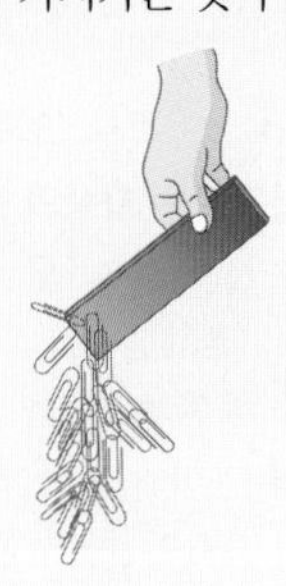

정답

ⓐ 끝 ⓑ 세 ⓒ 끝 ⓓ 끝

3 자석의 극

1. 자석에 클립이 많이 붙는 곳 찾아보기

★탐구 자석에 클립이 많이 붙는 곳 찾아보기

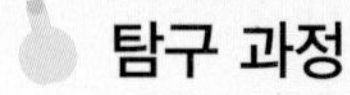

탐구 과정

① 바닥에 클립을 골고루 흩어 놓는다.
② 자석을 클립 위 여기저기에 가져다 대어 본다.
③ 자석을 들어 올려 클립이 붙은 모습을 관찰한다.

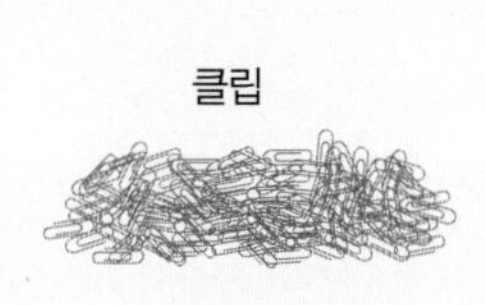

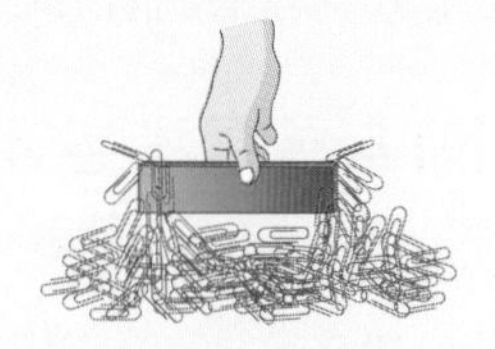

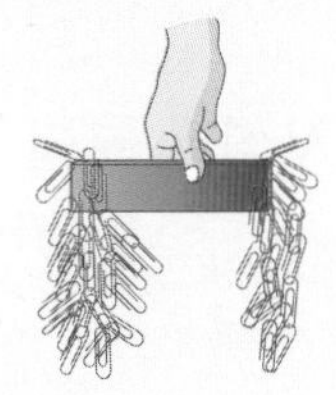

탐구 결과 및 결론

① 자석의 양쪽 ⓐ___ 부분에 클립이 많이 붙어 있다.
② 자석의 양쪽 끝 부분이 철로 된 물체를 더 ⓑ___게 끌어당긴다.
③ 클립에 클립이 연결되어 있기도 하다.

2. 클립을 자석에 길게 이어 붙이기

★탐구 클립을 자석에 길게 이어 붙이기

탐구 과정

① 클립을 자석에 붙여 보며 자석이 클립을 가장 세게 끌어당기는 곳을 알아본다.
② 자석에서 세 곳(A, B, C)을 정하여 클립을 아래로 길게 이어 붙여 본다.

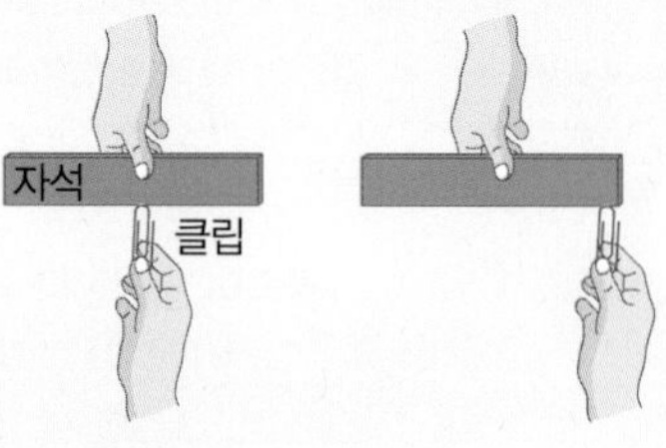

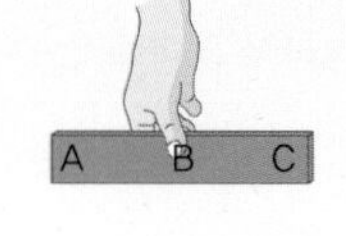

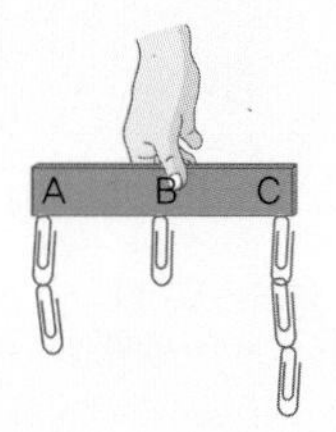

탐구 결과 및 결론

① 자석의 중앙에는 클립을 끌어당기는 힘이 약하다.
② 자석의 양쪽 ⓒ___ 부분에서 클립을 가장 세게 끌어당긴다.
③ 자석의 중앙(B)에는 클립이 잘 붙지 않는다.
④ 자석의 양쪽 ⓓ___ 부분(A와 C)에 클립을 가장 길게 이어 붙일 수 있다.

3. 자석의 극

① 자석의 ⓐ____ : 자석에서 클립이 가장 많이 붙는 곳이다.

② 자석의 극의 위치 : 막대자석의 극은 양쪽 ⓑ____에 있다.

③ 자석의 극의 성질 : 자석의 다른 부분보다 철로 된 물체를 더 세게 끌어당기며, 자석에는 ⓒ____ 개의 극이 있다.

④ 여러 가지 자석에서 극의 위치 : 자석의 모양에 따라 자석의 극의 위치가 다르다.

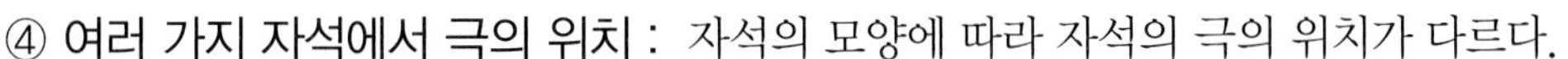

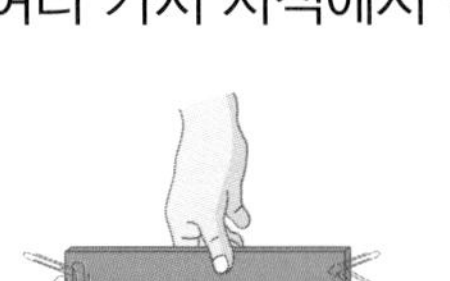
▲ 막대자석

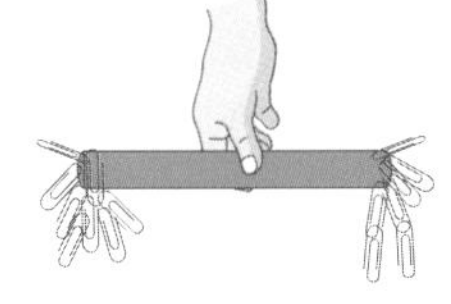
▲ 봉자석

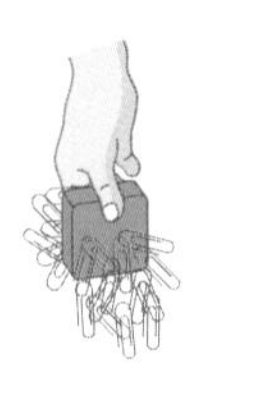
▲ 네모자석

▲ 고리자석

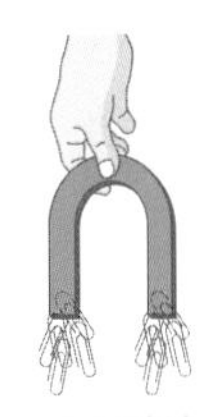
▲ U자석

★더 알아보기 자석의 발견

지금으로부터 약 2,600년 전, 고대 그리스 사람들은 배에 철을 가득 싣고 지중해의 에게 해를 지날 때 신기한 경험을 했다. 배에 철을 싣고 마그네시아라는 섬을 지날 때마다 이상하게 자꾸 배가 섬을 향해 갔다. 이상하게 생각한 그리스 선원들은 이유를 알아내려고 섬에 내려서 조사를 했다. 조사 결과, 마그네시아 섬은 철을 잡아 당기는 이상한 돌로 이루어졌다는 것을 알게 되었다. 그 후 이 섬에서 나오는 이상한 돌(자철석)을 자석이라고 하고, 영어로는 마그네시아에서 유래하였다고 해서 마그넷(magnet)이라고 불렀다. 현대의 자석은 금속 산화물의 가루를 도자기와 같이 구워서 만든 것이며, 마음대로 휘어지는 고무자석까지 개발되었다. 기원전 4세기경 나침반에 처음 쓰인 자석은 요즘 다방면에 사용되며 팔방미인으로 변신을 꾀하고 있다. 최근에는 암 치료에 쓰일 뿐만 아니라 반도체의 '0순위' 재료로도 꼽힌다.

▲ 자철석

★생활 속 과학 소가 먹는 자석

아름다운 초원에서 양을 방목할 때 초원에는 철조망, 못, 버린 캔 등 여러 금속이 있다. 동물을 방목할 때에 소나 양은 항상 이런 작은 금속을 삼킨다. 금속은 소의 위에 들어가면 풀과 같이 위에서 꿈틀거린다. 이때 금속 조각이 소의 위벽을 뚫고 나갈 수 있으며, 장이나 폐와 같은 다른 장기에 손상을 줄 가능성도 있다. 위벽이 뚫리면 위에서 흘러 나오는 소화액에 의해 장기가 감염이 되고, 이 감염은 소에게 치명적인 위험을 주기도 한다. 따라서 낙농업자와 수의사는 소에게 자석을 먹인다. 소에게 자석을 먹이면 이런 위험을 예방할 수 있다.

소가 표면이 매끄러운 자석을 먹으면 자석은 소의 첫번째 위로 들어가며, 소가 삼킨 금속 조각을 안정한 위치로 끌어당긴다. 따라서 금속 조각들이 소의 위를 뚫을 위험이 없다. 소에게 먹이는 자석은 무독성이고 부식되지도 않는다.

▲ 소가 먹는 자석

개념 더하기

● 자석의 극을 찾는 방법
- 클립을 움직이며 자석이 클립을 당기는 힘을 느껴본다.
- 자석의 여러 부분에 클립을 아래로 붙여가며 힘을 느껴본다.
- 클립이 들어 있는 상자에 자석을 넣어 본다.

용어 풀이

✓ **자석의 극(다할 極)**
자석에서 쇳조각을 끌어당기는 힘이 가장 센 부분

정답

ⓐ 극 ⓑ 끝 ⓒ 두

01 다음 〈보기〉에서 여러 가지 자석의 공통점으로 옳은 것을 모두 고른 것은 어느 것입니까? (　　)

보기
㉠ 자석의 크기는 모두 같다.
㉡ 자석의 모양은 여러 가지이다.
㉢ 자석은 모두 두 가지 색깔로 되어 있다.

① ㉠　② ㉡
③ ㉠, ㉢　④ ㉡, ㉢
⑤ ㉠, ㉡, ㉢

중요

02 다음 중 자석에 붙는 물질의 공통점으로 옳은 것은 어느 것입니까? (　　)

① 모양이 날카롭다.
② 철로 만들어졌다.
③ 색깔이 없고 투명하다.
④ 플라스틱으로 만들어졌다.
⑤ 여러 가지 금속으로 만들어졌다.

03 다음 중 자석에 붙는 물질을 모두 골라 묶은 것은 어느 것입니까? (　　)

쇠못	동전	유리컵	알루미늄 캔
클립	지우개	연필	풍선

① 쇠못, 클립
② 쇠못, 지우개, 풍선
③ 동전, 알루미늄 캔, 연필
④ 유리컵, 지우개, 연필, 풍선
⑤ 쇠못, 동전, 알루미늄 캔, 클립

04 다음과 같이 클립을 실에 끼워 자석 가까이 가져갔습니다. 이 실험에 대한 설명으로 옳은 것을 〈보기〉에서 모두 고른 것은 어느 것입니까? (　　)

보기
㉠ 클립은 자석 쪽으로 움직인다.
㉡ 클립은 자석 반대쪽으로 움직인다.
㉢ 자석과 클립 사이에는 힘이 작용하지 않는다.
㉣ 자석과 클립 사이에는 서로 끌어당기는 힘이 작용한다.

① ㉠, ㉡　② ㉠, ㉢
③ ㉠, ㉣　④ ㉡, ㉢
⑤ ㉡, ㉣

신유형

05 다음 그림과 같이 자석을 이용하여 클립을 공중에 띄운 다음, 자석과 클립 사이에 여러 가지 판을 넣어 보았습니다. 여러 가지 판 중 클립이 바닥으로 떨어지는 판으로 옳은 것은 어느 것입니까? (　　)

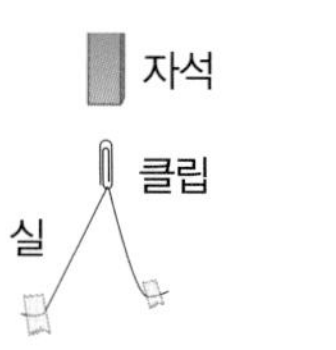

① 종이　② 유리
③ 철 판　④ 알루미늄박
⑤ 플라스틱 판

06 다음 그림과 같이 물속에 클립을 끼운 종이 물고기를 물이 담긴 비커 바닥에 실로 연결하여 붙인 다음, 자석을 가까이 하면 클립을 끼운 물고기가 바로 세워집니다. 이 실험으로 알 수 있는 사실을 모두 고르시오. (,)

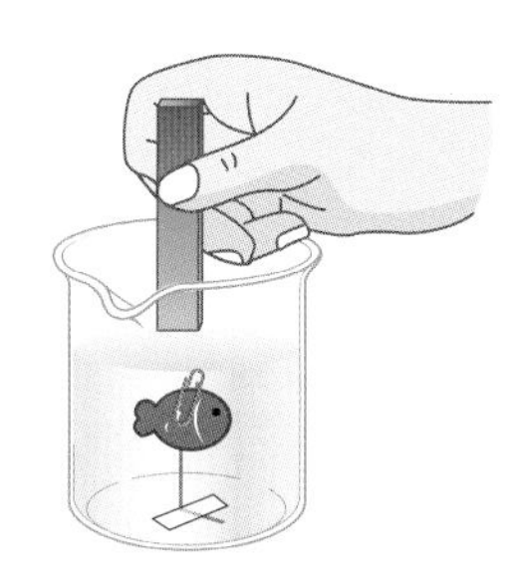

① 클립을 끼운 물고기는 물에 잘 뜬다.
② 자석이 클립을 끌어당기는 세기는 물속에서 더 커진다.
③ 자석이 클립을 끌어당기는 세기는 물속에서 더 작아진다.
④ 자석과 클립 사이에 작용하는 힘은 물을 통과하여 작용한다.
⑤ 자석과 클립 사이에 작용하는 힘은 서로 떨어져 있어도 작용한다.

07 다음 그림과 같이 흩어진 클립 위에 자석을 여기저기에 대어 보고 들어 올렸을 때에 대한 결과로 옳은 것은 어느 것입니까? ( )

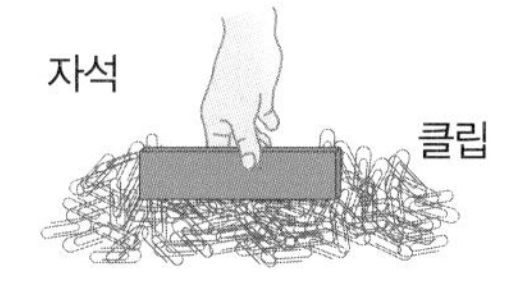

① 자석에 클립이 붙지 않는다.
② 자석의 가운데에만 클립이 붙는다.
③ 자석의 한쪽 끝에만 클립이 붙는다.
④ 자석의 모든 부분에 클립이 골고루 붙는다.
⑤ 자석의 양쪽 끝에 클립이 가장 많이 붙는다.

08 다음 〈보기〉 중 막대자석에서 극의 위치를 찾을 수 있는 방법을 모두 고른 것은 어느 것입니까?( )

보기
㉠ 막대자석 두 개를 나란히 붙인다.
㉡ 자석에 누름 못이 가장 많이 붙는 부분을 찾는다.
㉢ 자석에 클립을 대고 움직여 가장 세게 클립을 끌어당기는 곳을 찾는다.

① ㉠
② ㉢
③ ㉠, ㉡
④ ㉡, ㉢
⑤ ㉠, ㉡, ㉢

중요

09 다음 중 자석에서 클립을 가장 길게 이어 붙일 수 있는 곳을 모두 고르시오. (,)

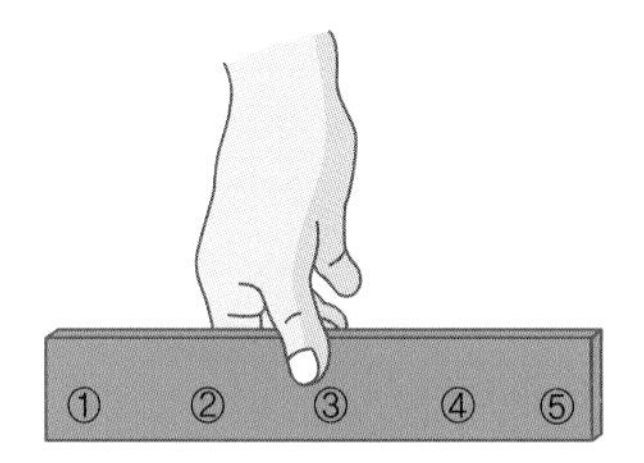

10 다음 중 자석의 극에 대한 설명으로 옳은 것은 어느 것입니까? ( )

① 막대자석의 극은 총 네 개이다.
② 막대자석의 극은 가운데에 있다.
③ 구리로 된 물체를 더 세게 끌어당긴다.
④ 자석의 모양에 따라 자석의 극의 위치가 다르다.
⑤ 막대자석의 끝과 가운데 부분에서 철로 된 물체를 끌어당기는 세기는 같다.

서술형으로 다지기

자석의 세기에 영향을 주는 요인

두 자석 중 한 자석이 움직이는 것은 자석의 세기와 관련이 있을까?

자석의 세기를 비교하기 위한 방법은 무엇이 있을까?

01 다음 그림은 모양과 크기가 다른 네 종류의 자석이고, 다음 글은 네 개의 자석의 세기를 비교하기 위한 방법을 나타낸 것입니다. 자석의 세기를 비교한 글에서 잘못된 점을 찾고, 그렇게 생각한 이유를 적어보세요.

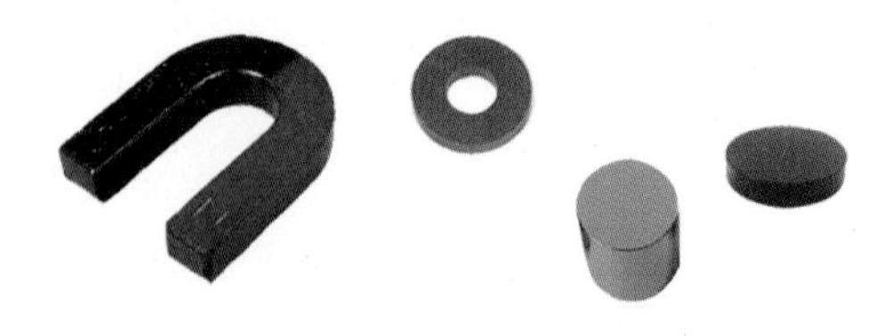

자석 두 개씩 짝을 지은 다음, 서로 가까이 해서 끌려가거나 멀어지는 자석을 알아봅니다. 두 자석 중 끌려가거나 멀어지는 자석이 자석의 세기가 더 약한 자석입니다.

철에 잘 붙는 자석

주위에 철에 잘 붙는 물질을 생각해 봅시다.

철로 된 물질에 잘 붙거나 잘 달라붙게 하는 물체는 무엇이 있을까요?

02 다음과 같이 냉장고 문에 붙이는 병따개와 냉장고 문은 주변에서 찾을 수 있는 자석입니다. 이와같이 주변에서 자석이 이용되고 있는 예를 찾아 5가지 이상 적어보세요.

03 다음과 같이 모양과 크기가 같은 두 개의 막대 (가)와 (나) 중 하나는 자석이고, 하나는 쇠막대입니다. 두 개의 막대만 이용하여 자석과 쇠막대를 구분할 수 있는 방법을 적어보세요.

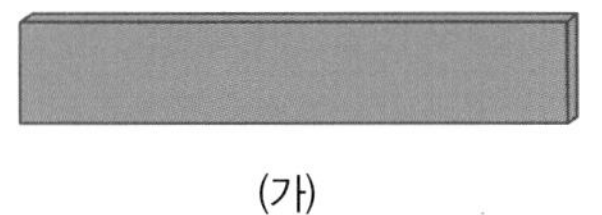

(가) (나)

손에 잡히는 문제 해결

막대자석의 극 위치를 이용한다.

▼

쇠막대에 막대자석을 여기저기 대어보면 어떻게 될까요?

▼

막대자석에 쇠막대를 여기저기 대어보면 어떻게 될까요?

04 다음과 같이 자석에 클립을 떼었다 붙였다를 반복하면 자석의 세기는 어떻게 변하는지 자신의 생각을 이유와 함께 적어보세요.

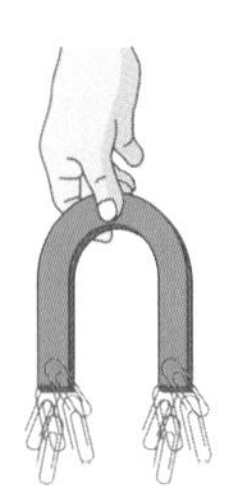

자석의 세기가 변하는 요인

▼

클립을 자석에 떼었다 붙였다 반복하면 어떻게 될까?

▼

클립을 떼었다 붙였다 하는 힘은 어디서 나온 것일까요?

융합사고력 키우기

STEAM

- ✓ Science
  - ▶ 자석
- ✓ Technology
  - ▶ 모노폴
- Engineering
- Art
- Mathmatics

극이 하나뿐인 자석은 존재할까?

자석은 항상 어린아이들의 인기 장난감이다. 자석은 서로 가까이 가져가면 어떨 때는 서로 붙으려 하는가 하면 어떨 때는 서로 밀쳐내기 바쁘니 아이들의 눈에 정말 신기하기만 하다. 나중에 학교에서 자석은 두 개의 극이 있고, 서로 같은 극끼리는 밀쳐내고 서로 다른 극은 달라붙는다는 걸 배워도 여전히 자석은 흥미로운 물체다.

만약 하나의 자석을 반으로 나눈다면 어떨까? 그러면 한쪽은 N극, 다른 한쪽은 S극만 있는 두 개의 자석이 만들어지는 걸까? 그렇지 않다. 반으로 나누어진 자석은 극이 하나 더 생겨 여전히 두 개의 극을 갖는다.

반으로 나눈 자석을 다시 반으로 나누어도, 또다시 반으로 나누어도 자석은 극이 항상 두 개다. "자석의 극은 왜 두 개야?"하고 누가 묻는다면 "원래 자석이란 건 그런 거야."라고 대답하는 수밖에 없어 보인다.

세상에는 S극 혹은 N극만 갖는 자석, 모노폴(monopole)이 존재하지 않는 걸까? 물리학자들이 모노폴을 찾는 이유는 뭘까? 모노폴을 관측하기만 하면 우주가 어떻게 시작되었는지를 설명하는 이론에 큰 발전을 가져다줄 것이라고 한다.

노벨물리학상을 수상한 미국의 물리학자 스티븐 와인버그 박사는 모노폴에 대해 "찾을 확률은 낮지만, 만약 성공한다면 매우 매우 중요한 업적일 것"이라고 말했다. 뿐만 아니라 와인버그 박사와 함께 노벨물리학상을 수상한 하버드 대학의 셰던 글래쇼 박사는 모노폴이 어쩌면 현대 우주론의 난제 중 난제인 암흑물질의 존재와 관련이 있을지도 모른다고 모노폴의 위상을 한 단계 더 높여주었다.

이제 물리학자들의 모노폴을 찾아야 하는 이유는 단지 호기심 차원이 아니라 여러 가지가 있다. 그렇다면 물리학자들은 어떻게 모노폴을 찾아가고 있는 걸까?

모노폴

용어 풀이

- **물리학**
  자연현상을 물질의 운동과 에너지의 변환이라는 관점에서 기술하고 설명하는 학문
- **난제**
  해결하기 어려운 일이나 사건
- **노벨물리학상**
  5개 분야의 노벨상 중 하나로, 이 상을 수상하는 것은 물리학계에서 최고의 영예로 꼽힌다.

1 자석은 두 개의 극을 갖습니다. 만약 극이 하나뿐인 자석이 있다면 그 자석의 이름은 무엇인가요?

정답 및 해설
11쪽

2 자석은 두 개의 극, 북극과 남극이 있습니다. 만약 하나의 자석을 반을 나눈다면 한쪽은 북극, 다른 한쪽은 남극만 있는 자석이 되지 않고, 반으로 나누어진 자석은 극이 하나 더 생겨 여전히 두 개의 극을 갖게 됩니다. 그 이유를 적어보세요.

자석은 왜 두 개의 극을 가지고 있을까요?

▼

자석을 이루고 있는 알갱이도 두 개의 극을 가지고 있을까요?

▼

자석을 반으로 나누면 자석 알갱이들의 배열이 바뀔까요?

논술형

3 만약 극이 하나뿐인 자석이 있다면 어떤 현상이 일어날지 예상하여 3가지 이상 적이보세요.

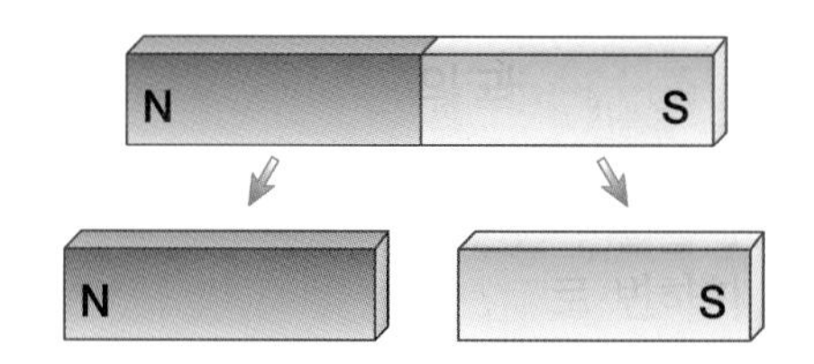

손에 잡히는 STEAM

극이 하나뿐인 자석을 이루고 있는 알갱이도 극이 하나뿐일까요?

▼

두 개의 극이 있는 자석의 장점과 단점은 뭘까요?

▼

그 장단점이 극이 하나뿐인 자석에서는 어떻게 번할까요?

밀어내고 끌어당기는

06 자석과 자석

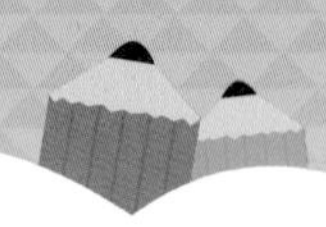

1 자석이 가리키는 방향

1. 물에 띄운 자석과 쇠막대가 가리키는 방향

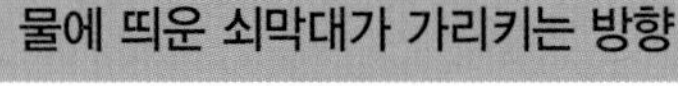

물에 띄운 자석이 가리키는 방향	물에 띄운 쇠막대가 가리키는 방향
	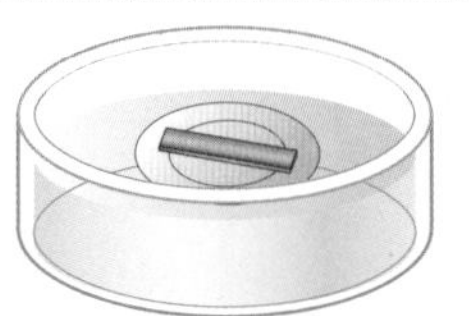
• ⓐ ______ 한 방향을 가리킨다. • 북쪽과 남쪽을 가리킨다.	• 일정한 방향을 가리키지 않는다. • 쇠막대를 돌릴 때마다 가리키는 방향이 달라진다.

2. 자석의 N극과 S극

① N극 : 북쪽을 가리키는 부분으로 보통 빨간색을 칠한다.

② S극 : 남쪽을 가리키는 부분으로 보통 파란색을 칠한다.

3. 나침반

① 나침반 : 자석이 일정한 ⓑ ______ 을 가리키는 성질을 이용하여 방향을 찾을 수 있도록 만든 것

② 나침반 바늘은 ⓒ ______ 으로 만들어져 있어 항상 일정한 방향을 가리킨다. ➡ N극은 ⓓ ___ 쪽을 가리키고, 빨간색으로 표시되어 있다.

③ 사용 방법 : 평평한 바닥에 놓은 뒤 나침반을 돌려가며 나침반 바늘의 빨간색 부분이 바닥에 쓰여 있는 '북'이나 'N'에 놓이도록 한다.

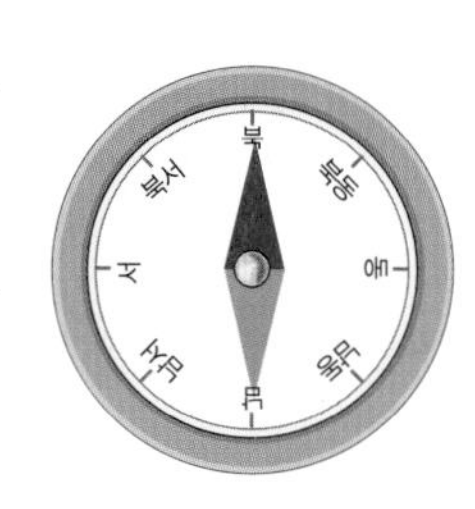

2 나침반 만들기

1. 머리핀으로 자석 만들기

자석으로 문지르지 않은 머리핀	자석으로 문지른 머리핀
	자석의 한 가지 극으로 머리핀의 끝 부분을 한 방향으로 여러 번 문지른다.
머리핀은 자석이 아니기 때문에 클립이 붙지 않는다.	• 머리핀에 클립이 붙으며, 머리핀이 클립을 끌어당긴다. • 머리핀을 자석으로 문지르면 머리핀이 ⓔ ______ 의 성질을 띤다.

개념 더하기

● 공중에 매달에 놓은 자석이 가리키는 방향

막대에 자석을 매단 후, 비커 위에 막대를 올려놓고 자석이 멈출 때까지 기다리면, 자석은 북쪽과 남쪽을 가리킨다.

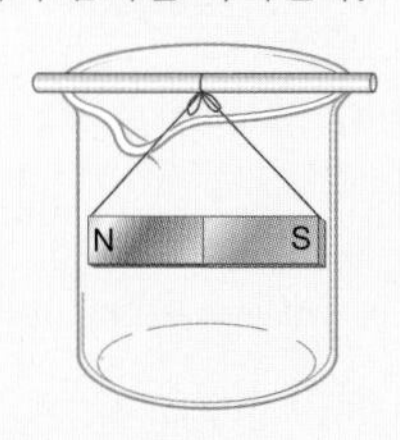

용어 풀이

N극
자석에서 북쪽을 가리키는 부분으로 북쪽(North)의 첫 번째 알파벳인 N으로 표시한다.

S극
자석에서 남쪽을 가리키는 부분으로 남쪽(South)의 첫 번째 알파벳인 S로 표시한다.

ⓐ 일정 ⓑ 방향 ⓒ 자석 ⓓ 북 ⓔ 자석

2. 머리핀으로 나침반 만들기

★탐구 머리핀으로 나침반 만들기

탐구 과정

① 자석의 한 가지 극으로 머리핀의 끝 부분을 한 방향으로 여러 번 문지른다.
② 자석으로 문지른 머리핀을 우드록 조각 위에 올리고 테이프로 고정시킨다.
③ 원형 수조에 물을 채우고, 우드록을 물에 띄운다.
④ 북쪽을 가리키는 머리핀의 끝 부분에 N극 붙임 딱지를 붙인다.
⑤ 머리핀이 가리키는 방향과 나침반의 바늘이 가리키는 방향을 비교한다.

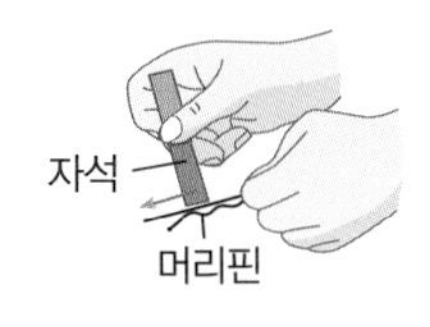

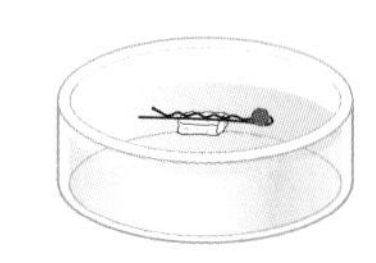
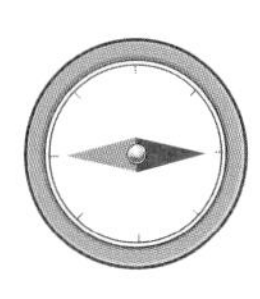

탐구 결과 및 결론

① 자석으로 문지른 머리핀은 나침반 바늘과 같이 ⓐ___쪽과 ⓑ___쪽을 가리킨다.
② 자석으로 문지른 머리핀은 일정한 방향을 가리키므로 나침반으로 만들 수 있다.

3. 자화

① ⓒ______ : 자석이 아닌 물체가 자석의 성질을 띠게 되는 것
② 자화된 물체의 성질 : 물체가 자화되면 N극과 S극이 생긴다. ➡ 일정한 ⓓ______을 가리키므로 나침반을 만들 수 있다.

★더 알아보기 자화될 수 있는 물체와 자화된 머리핀의 극

① 자화될 수 있는 물체

- 철로 되어 있어 자석에 붙는 물체는 자석의 한 가지 극으로 여러 번 문지르면 자화될 수 있다.
- 자석에 붙지 않는 물체는 자석의 한 극으로 여러 번 문질러도 자석의 성질을 띨 수 없다.

② 자화된 머리핀의 극 알아보기

- 자석의 N극으로 머리핀을 오른쪽 그림과 같이 한 방향(왼쪽)으로 문지르면 N극이 마지막으로 닿은 머리핀 끝 부분이 S극으로 자화된다.
- 머리핀의 끝을 나침반의 바늘에 가까이하였을 때,
  - 나침반 바늘의 N극이 끌려오면 머리핀의 끝은 S극이다.
  - 나침반 바늘의 S극이 끌려오면 머리핀의 끝은 N극이다.

S극 N극

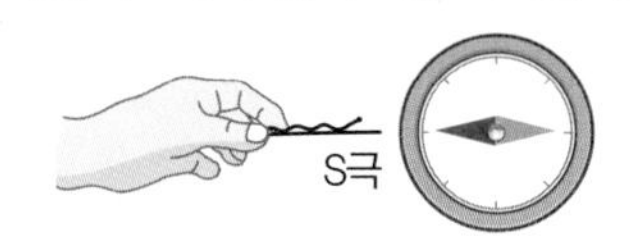

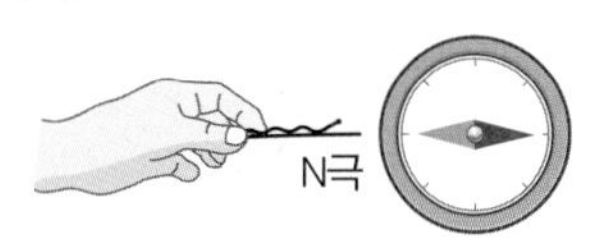

개념 더하기

● 부러진 자석의 극

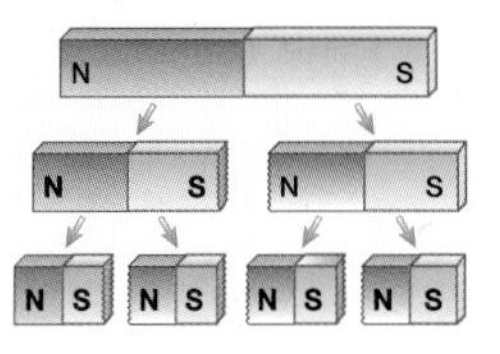

- 자석이 부러지면 두 개의 자석으로 나누어질 뿐 자석의 성질은 그대로 지닌다.
- 두 개의 자석으로 나누어지면 자석의 힘은 원래보다 약해진다.
- 나누어진 자석에는 각각 서로 다른 두 개의 극이 생긴다

● 자화시킬 때 자석을 일정한 방향으로 문지르는 이유

철로 된 물체 속의 작은 자석들이 한 방향으로 정렬되게 하기 위해서이다.

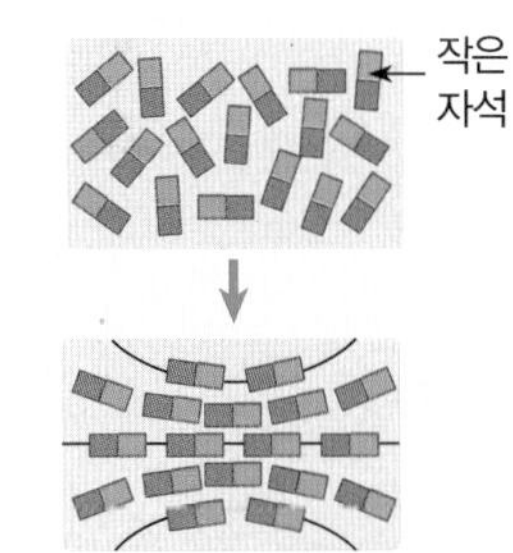

용어 풀이

자화(자석 磁, 될 化)
자석이 아닌 물체가 자석의 성질을 띠게 되는 것

정답

ⓐ 북 ⓑ 남 ⓒ 자화
ⓓ 방향

06 자석과 자석

개념 더하기

● **고리 자석의 극 찾기**

막대자석의 N극을 고리 자석의 윗면에 가까이 대었을 때

- 고리 자석의 윗면이 막대자석에 붙으면 고리 자석의 윗면이 S극이다.
- 고리 자석의 윗면이 막대자석에서 멀어지거나 뒤집어져서 아랫면이 막대자석에 붙으면 고리 자석의 윗면이 N극이다.

용어 풀이

드라이버
나사못이나 작은 나사를 돌려 박기 위해 사용하는 도구

ⓐ 미는 ⓑ끌어당기
ⓒ S ⓓ N ⓔ 자석

3 자석과 자석 사이에 작용하는 힘

1. 자석의 극 사이에 작용하는 힘

구분	같은 극끼리 가까이 했을 때	다른 극끼리 가까이 했을 때
막대자석	N N / S S 서로 ⓐ____ 힘이 작용한다.	N S / S N 서로 ⓑ________는 힘이 작용한다.
고리 자석	서로 같은 극끼리 마주보게 놓으면 미는 힘이 작용하여 가장 높은 탑이 된다.	서로 다른 극이 마주보게 놓으면 끌어당기는 힘이 작용하여 가장 낮은 탑이 된다.

2. 자석과 나침반

① 막대자석 주변에 나침반을 놓으면 나침반 바늘이 자석이므로 막대자석과 서로 끌어당기거나 미는 힘이 작용한다.

② 나침반 바늘의 N극은 자석의 ⓒ____극을 가리키고, 나침반 바늘의 S극은 자석의 ⓓ____극을 가리킨다.

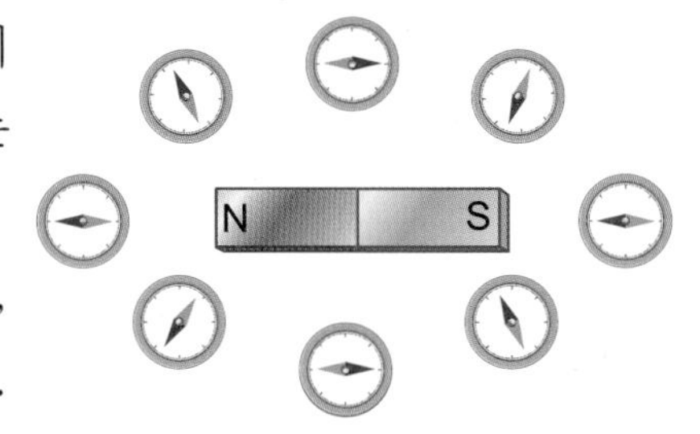

3. 나침반과 지구

① 나침반 바늘의 N극은 북쪽을, 나침반 S극은 남쪽을 가리킨다.

② 지구도 하나의 커다란 ⓔ______이다. ➡ 지구의 북쪽에는 자석의 S극, 지구의 남쪽에는 자석의 N극에 해당하는 지점이 있다.

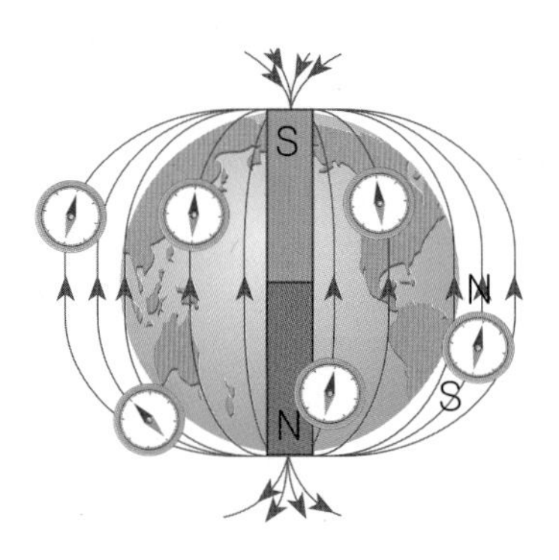

4 생활에서 자석이 사용되는 예

1. 자석이 사용되는 물체 찾아보기

① **자석 필통** : 자석과 쇠붙이가 있어 뚜껑을 닫을 때 편리하다.

② **자석 드라이버** : 드라이버가 자석으로 되어 있어 나사를 드라이버 끝에 고정하기 좋다.

③ **매미 자석** : 자석의 같은 극끼리 밀고 다른 극끼리 끌어당기는 성질을 이용한 장난감이다.

④ **나침반** : 자석이 일정한 방향을 가리키는 성질을 이용하여 방향을 찾는다.

⑤ **통장** : 자화의 원리를 이용하여 정보를 저장한다.

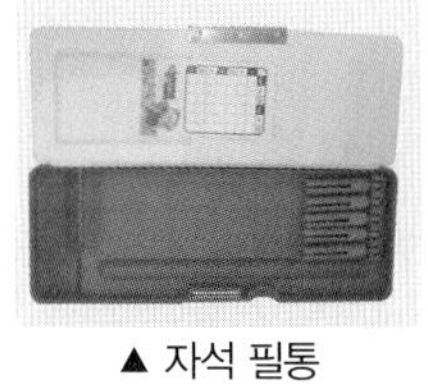
▲ 자석 필통

▲ 자석 드라이버

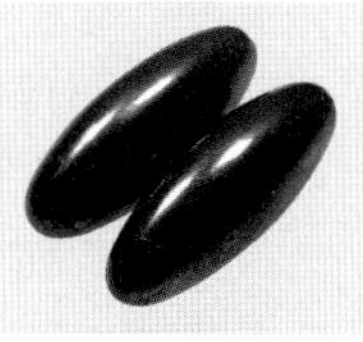
▲ 매미 자석

▲ 나침반

▲ 통장

2. 이용된 자석의 성질에 따라 물체 분류하기

성질	물체
철로 된 물체를 끌어당기는 성질	자석 필통, 자석 드라이버, 클립 통, 자석 바둑판, 냉장고 문, 자석 집게, 자석 칠판 등
같은 극끼리 서로 밀고, 다른 극끼리 서로 끌어당기는 성질	매미 자석, 자석 팽이, 공중 부양 팽이 등
일정한 방향을 가리키는 성질	나침반 등
자화를 이용한 정보의 저장	통장, 신용 카드, 컴퓨터 하드디스크 등

5 자석을 이용한 장난감

1. 자석 팽이

① 팽이와 받침대에 ⓐ_____이 있다.

② 팽이와 받침대에 있는 자석이 서로 ⓑ_____ 극끼리 맞닿아 있어 서로 밀어내므로 팽이가 공중에 떠서 돌아간다.

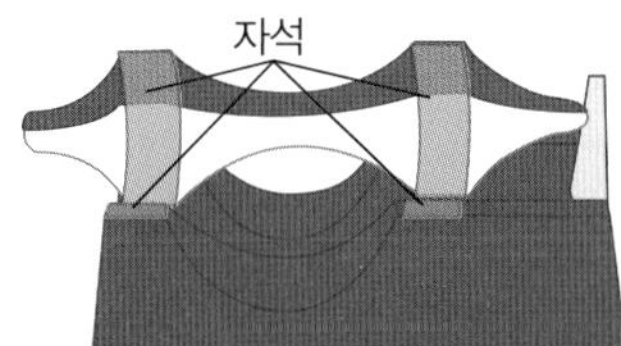
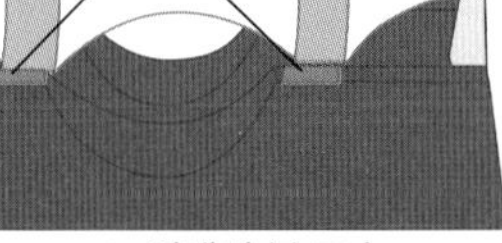

▲ 옆에서 본 모습

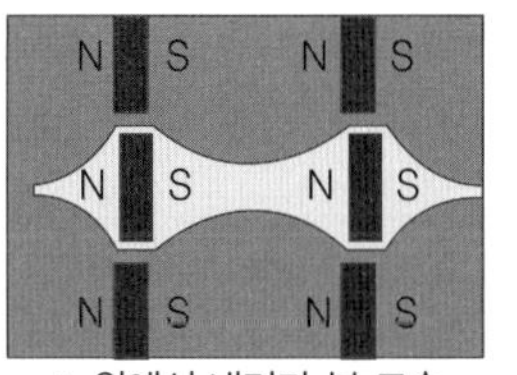

▲ 위에서 내려다 본 모습

2. 자석을 이용한 장난감

축구 장난감	춤추는 피에로	자석 자동차	물방개
	클립	동전 자석	시침핀

개념 더하기

● **자석으로 정보를 기록한 물체를 사용할 때 주의할 점**

통장, 신용카드, 녹음테이프 등 자석으로 정보를 기록한 물체에 자석을 가까이할 경우 정보가 지워질 수 있으므로 주의해야 한다.

● **자석을 이용한 장난감**

- 축구 장난감, 춤추는 피에로 : 철로 만든 물체가 자석에 붙는 성질과 자석의 힘이 물체를 통과하여 작용하는 성질을 이용한다. 뒷면에서 자석을 움직이면 물체도 함께 움직인다.
- 자석 자동차 : 자동차에 붙은 자석에 다른 자석을 가져다 대어 자동차를 움직인다.
- 물방개 : 자석이 철로 된 물체를 끌어당기는 성질을 이용한다

정답

ⓐ 자석 ⓑ 같은

개념기르기

01 다음 그림과 같이 플라스틱 접시에 쇠막대를 올려 놓고 물에 띄우는 것을 반복했을 때 쇠막대가 기리키는 방향으로 옳은 것은 어느 것입니까? (　　)

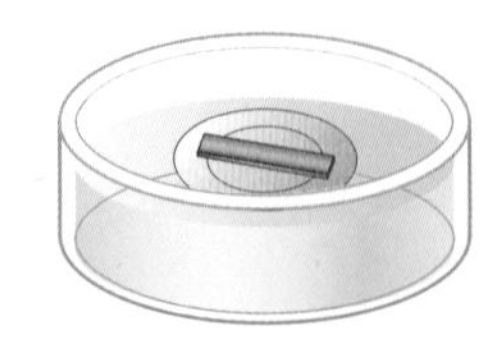

① 북쪽과 남쪽　　② 서쪽과 동쪽
③ 북쪽과 서쪽　　④ 동쪽과 남쪽
⑤ 일정하지 않다.

02 다음 중 자석에 대한 설명으로 옳은 것을 <u>모두</u> 고르시오. (　　,　　)

① 자석에는 두 개의 극이 있다.
② 자석의 극의 종류는 네 가지이다.
③ 자석의 양쪽 끝 부분은 같은 극이다.
④ 자석의 N극은 보통 빨간색으로 칠한다.
⑤ 막대자석의 가운데 부분은 자석의 북쪽을 가리키고, 보통 초록색으로 칠한다.

03 다음과 같이 자석을 실에 매달아 공중에 매달면 자석은 어떻게 됩니까? (　　)

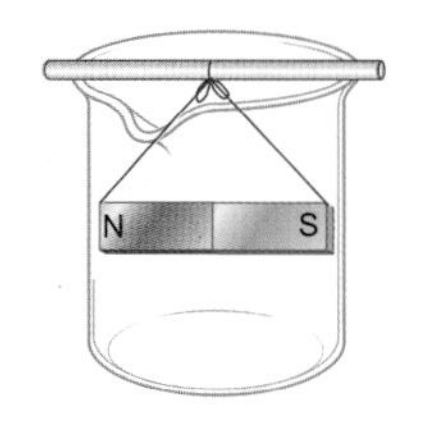

① 자석이 계속 빙글빙글 돈다.
② N극은 동쪽, S극은 서쪽을 가리킨다.
③ N극은 남쪽, S극은 북쪽을 가리킨다.
④ N극은 북쪽, S극은 남쪽을 가리킨다.
⑤ N극은 서쪽, S극은 동쪽을 가리킨다.

04 다음 〈보기〉 중 나침반에 대한 설명으로 옳은 것을 모두 고른 것은 어느 것입니까? (　　)

> **보기**
> ㉠ 나침반 바늘은 자석으로 만들어져 있다.
> ㉡ 나침반 바늘의 N극은 화살표로 되어 있기도 하다.
> ㉢ 나침반을 돌려가면서 나침반 바늘의 파란색 부분이 바닥에 쓰여 있는 '북'에 놓이게 한다.
> ㉣ 나침반은 자석이 철을 끌어당기는 성질을 이용하여 만든 도구이다.

① ㉠, ㉡　　② ㉠, ㉢
③ ㉠, ㉣　　④ ㉡, ㉢
⑤ ㉡, ㉣

05 다음과 같이 자석의 한 가지 극으로 머리핀의 끝 부분을 한 방향으로 여러 번 문지른 머리핀에 대한 설명으로 옳은 것은 어느 것입니까? (　　)

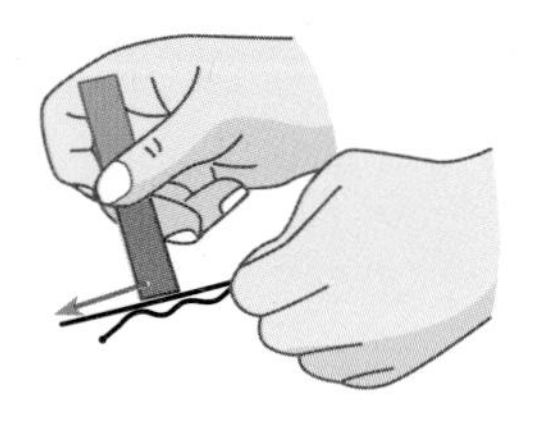

① 머리핀이 철과 같은 성질을 갖는다.
② S극으로 문지른 머리핀을 클립에 가까이 대면 클립이 멀어진다.
③ N극으로 문지른 머리핀을 클립에 가까이 대면 클립이 달라붙는다.
④ 자석으로 문지른 머리핀을 나무에 가까이 대면 나무가 달라붙는다.
⑤ 자석으로 문지르지 않은 머리핀을 클립에 가까이 대면 클립이 끌어당겨진다.

06 다음은 자석의 한 가지 극으로 여러 번 문지른 머리핀을 우드록 조각 위에 놓고 물위에 띄운 모습입니다. 이 실험에 대한 설명으로 옳은 것은 어느 것입니까? ( )

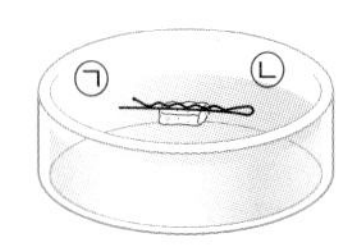

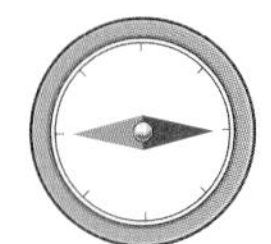

① ㉠은 N극, ㉡은 S극이다.
② 자석의 N극으로 ㉡에서 ㉠으로 문지른 것이다.
③ 머리핀은 일정한 시간 간격으로 한바퀴씩 돈다.
④ 자석을 문지를 때 ㉠에서 ㉡, ㉡에서 ㉠으로 번갈아 가면서 문지른다.
⑤ 머리핀은 나침반과 반대 방향을 가리키므로 나침반으로 만들 수 없다.

07 다음 그림과 같이 두 개의 막대자석을 가깝게 하였더니 서로 밀어냈습니다. 이에 대한 설명으로 옳은 것은 어느 것입니까? ( )

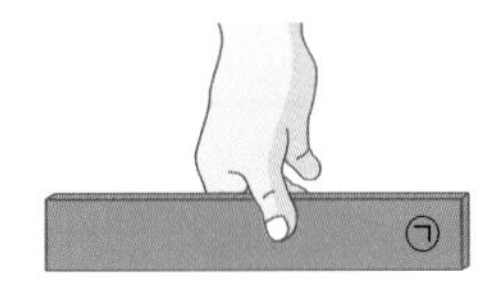

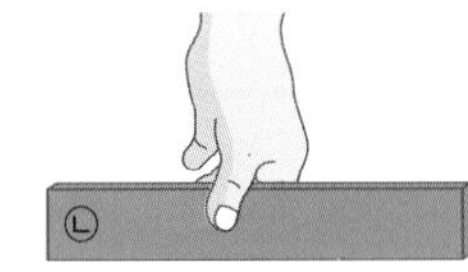

① ㉠은 N극, ㉡은 S극이다.
② ㉠은 S극, ㉡은 N극이다.
③ ㉠은 N극, ㉡은 N극이다.
④ ㉠과 ㉡를 계속 가깝게 하면 어느 순간 서로 끌어당기게 된다.
⑤ 오른쪽 자석을 돌려서 ㉡이 오른쪽을 향하게 하여도 서로 밀어낸다.

08 오른쪽과 같이 고리 자석 다섯 개를 막대에 끼워 가장 높은 탑을 쌓을 수 있는 방법으로 옳은 것은 어느 것입니까? ( )

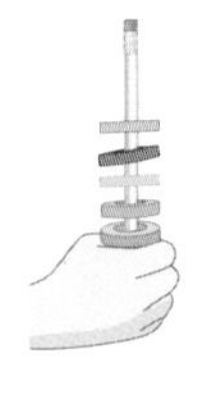

① 무게가 가벼운 순서대로 위로 쌓는다.
② 다섯 개 모두 서로 다른 극이 마주 보게 놓는다.
③ 다섯 개 모두 서로 같은 극이 마주 보게 놓는다.
④ 번갈아 가면서 한 개는 같은 극끼리 마주 보게 놓고, 그 위에는 다른 극끼리 마주 보게 놓는다.
⑤ 맨 밑에 있는 자석 두 개는 서로 같은 극끼리 마주 보게 놓고, 나머지는 서로 다른 극끼리 마주 보게 놓는다.

09 다음 중 같은 극끼리 서로 밀고, 다른 극끼리 서로 끌어당기는 성질을 이용한 물체가 아닌 것은 어느 것입니까? ( )

① 자석 팽이
② 고리 자석
③ 매미 자석
④ 하드디스크
⑤ 공중 부양 자석

10 다음 〈보기〉 중 자석 팽이에 대한 설명으로 옳은 것을 모두 고른 것은 어느 것입니까? ( )

㉠ 팽이에는 자석이 들어 있고, 받침대에는 없다.
㉡ 자석이 같은 극끼리 서로 밀어내어 팽이가 공중에 떠서 돌아갈 수 있다.
㉢ 자석 팽이에 있는 자석을 찾으려면 클립을 이용하면 된다.

① ㉠
② ㉡
③ ㉠, ㉡
④ ㉠, ㉢
⑤ ㉡, ㉢

머리핀을 자화시키는 방법

▼

머리핀 속에 작은 자석들이 배열되어 있는 모습은 어떠한가요?

▼

작은 자석들이 어떻게 하면 한 방향으로 배열될까요?

01 다음 그림 (가)는 자석으로 머리핀을 한 방향으로 여러 번 문질러 자석을 만드는 실험이고, 그림 (나)는 자석으로 문지르기 전에 머리핀 속에 작은 자석들이 배열되어 있는 모습입니다. 바늘을 한 방향으로 문질러야 자화되는 이유를 그림 (나)를 이용하여 적어보세요.

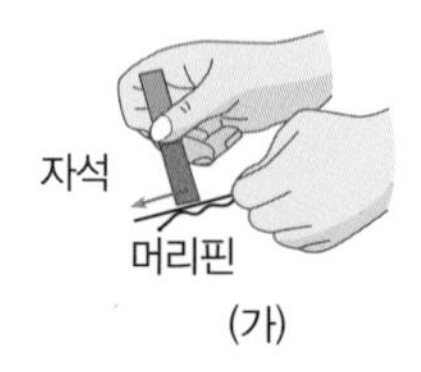

(가)

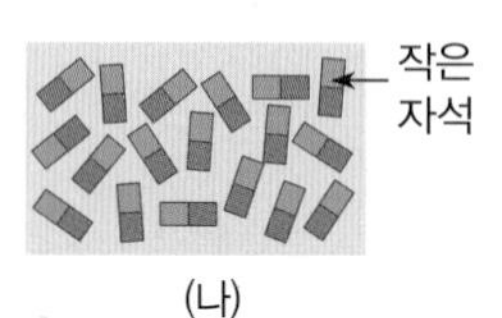

(나)

손에 잡히는 문제 해결

자화란 무엇인가요?

▼

자화를 시키는 방법에 대해 생각해 봅시다.

▼

작은 자석들이 다시 불규칙해지려면 어떻게 하면 될까요?

02 바늘이나 머리핀을 자화시키면 자석의 성질 갖게 되는데, 자화되었던 바늘이나 머리핀이 자석의 성질을 잃게 하려면 어떻게 해야 하는지 그 방법을 <u>두 가지</u> 이상 적어보세요.

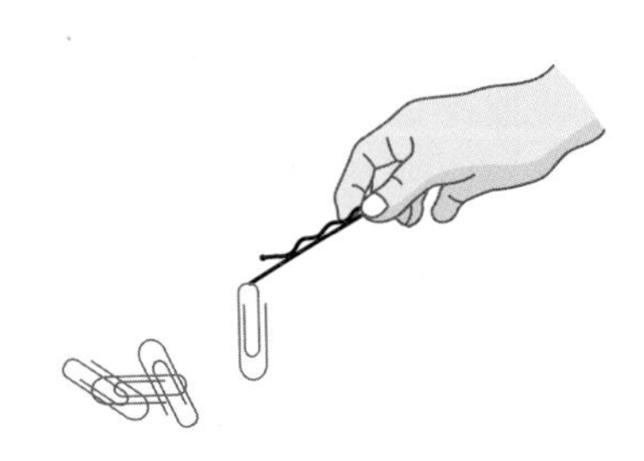

03 다음과 같이 (가)는 같은 극끼리 마주 대어 놓고, (나)는 다른 극끼리 마주 대어 놓고 자석을 1년 동안 보관하였습니다. 보관 전과 보관 후 자석에 붙는 클립의 수가 표와 같았을 때 자석의 세기를 더 오랫동안 유지시켜 주는 보관 방법을 고르고, 자석의 세기가 더 오랫동안 유지되는 이유를 적어보세요.

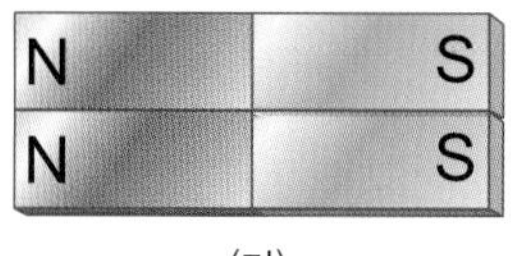

(가)

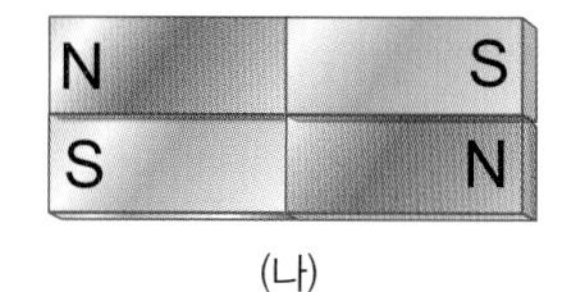

(나)

구분	보관 전	보관 후
(가)	20개	12개
(나)	20개	20개

손에 잡히는 문제 해결

표를 통해 자석의 세기가 잘 유지되는 방법 고르기

(가)와 같이 같은 극끼리 연결했을 때 작은 자석의 방향은 어떻게 되나요?

(나)와 같이 다른 극끼리 연결하면 작은 자석의 방향은 어떻게 될까요?

04 다음 그림과 같이 막대자석의 N극에 시침핀 2개를 서로 떨어뜨려 나란히 붙여 놓고 다른 막대자석의 N극을 시침핀 사이로 가까이 하였습니다. 막대자석의 N극이 시침핀에 가까이 갈수록 시침핀은 어떻게 될지 이유와 함께 적어보세요.

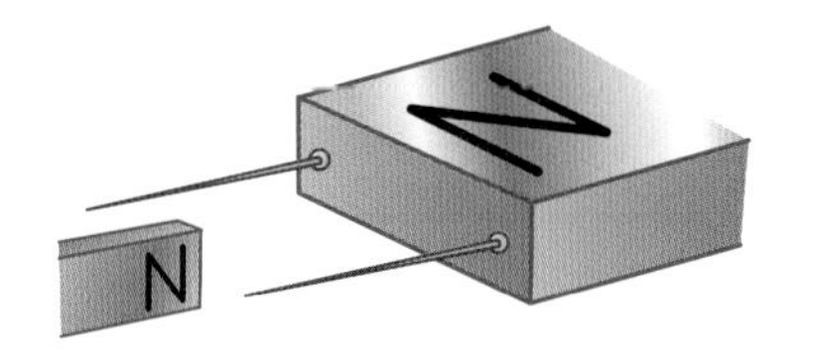

손에 잡히는 문제 해결

오른쪽 자석에 붙인 시침핀은 어떻게 될까요?

두 시침핀 사이에 N극을 가까이하면 어떻게 될까요?

자석을 같은 극끼리 가까이할 때와 다른 극끼리 가까이할 때의 차이점은 무엇인가요?

융합사고력 키우기

STEAM

- ✔ Science
  - ▶ 자석
- ✔ Technology
  - ▶ 자화, 자기력
- ✔ Engineering
  - ▶ 자석기계
- Art
- Mathmatics

산화 철을 이용하여 병원균을 제거하는 자석기계

혈관 생물학자 돈 잉버가 개발한 자석기계는 확실히 사람의 생명을 구하는 장비다. 자석기계는 박테리아, 진균, 바이러스 등의 미생물을 혈액 밖으로 끌어낸다. 자석기계는 매년 패혈증에 걸려 죽어가는 21만 명의 미국인들의 목숨을 구할 수 있다.

패혈증은 혈액 내에 박테리아나 진균이 침투해 치료제가 효과를 발휘하기 전에 장기부전을 일으킨다. 하버드 의대와 아동병원에서 근무하는 잉버는 "과거에는 패혈증이 일어난 경우 항생제를 처방한 후 기도하는 것 외에는 달리 방법이 없었다"고 말한다. 하지만 그의 자석기계는 훨씬 신속하게 움직인다.

실험실에서 잉버의 연구팀은 헌혈 받은 피에 패혈증의 원인균인 진균, 즉 칸디다 알비칸스를 섞고 여기에 플라스틱으로 코팅된 산화 철 구슬을 넣었다. 이 산화 철 구슬은 머리카락 굵기의 100분의 1 정도인데, 진균을 찾아 공격하는 항체로 덮여 있다. 그 다음 이 혼합물을 투석기와 같은 자석기계에 넣는다. 그러면 자석기계는 전자석을 이용해 산화 철 구슬을 잡아당기는데, 이때 산화 철 구슬에 들러붙은 병원균도 딸려 나와 생리식염수 속으로 들어간다.

자석기계는 불과 몇 시간 만에 병원균의 80%를 없애며, 나머지 병원균들은 약품으로 간단히 처리할 수 있다. 잉버는 환자의 혈액을 체외로 돌려 순환계로 돌려보내기 전에 자석기계를 통한 병원균 제거 외에도 활용할 수 있는 분야가 많을 것으로 보고 있다.

자석기계

용어 풀이

- **패혈증**
  미생물에 감염되어 전신에 심각한 염증 반응이 나타나는 상태
- **장기부전**
  몸속 장기들이 제 기능을 하지 못하고 멈추거나 심하게 둔해지는 상태
- **전자석**
  전류가 흐르면 자기화되고, 전류를 끊으면 원래의 상태로 돌아가는 일시적 자석
- **산화 철**
  자성이 있어 반도체, 자석, 자기테이프의 원료로 쓰임

1 자석기계는 환자의 혈액을 체외로 돌려 혈액 속에 있는 병원균을 어떻게 제거하는지 적어보세요.

2 돈 잉버가 개발한 자석기계가 오른쪽 그림과 같은 패혈증의 원인균을 제거하는 방법을 논리적으로 적어보세요.

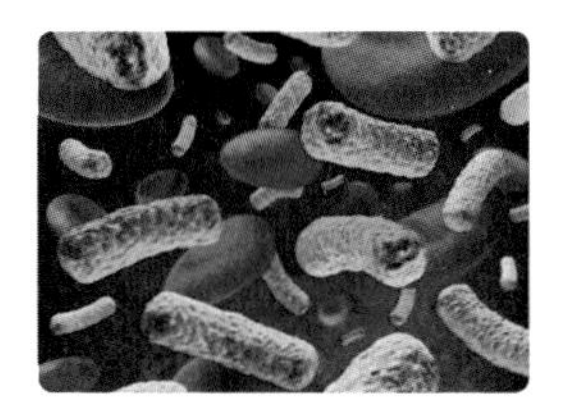

미생물을 제거하기 위해 넣은 물질은 무엇인가요?

▼

넣은 물질에 의해 미생물은 어떻게 되나요?

▼

자석기계에서 미생물이 어떻게 제거되나요?

논술형

3 혈관 생물학자 잉버는 환자의 혈액을 체외로 돌려 순환계로 돌려보내기 전에 자석기계를 통하면 병원균 제거 외에도 활용할 수 있는 분야가 많을 것으로 보고 있습니다. 자석기계를 활용할 수 있는 아이디어를 원리와 함께 적어보세요.

산화 철 구슬을 활용할 수 있는 방법은 무엇일까요?

▼

제거할 물질은 무엇인가요?

▼

제거할 물질을 다른 물질과 어떻게 반응시킬까요?

탐구력 키우기

자석 장난감

자석은 N극과 S극이 있으며 2개의 자석이 만났을 때는 서로 끌어당기기도 하고 밀어내기도 한다. 자석을 이용하여 움직이는 장난감을 만들어 보자.

준비물

동전 자석 2개, 종이컵, 수수깡 또는 나무 젓가락, 페트병 뚜껑, 굵은 빨대, 가는 빨대, 양면테이프, 고무찰흙, 송곳, 색종이, 풀, 싸인펜 또는 색연필, 스타이로폼 공

탐구 과정

① 종이컵에 색종이와 색연필을 이용하여 동물 모양을 꾸민다.
② 종이컵 위쪽에 구멍을 2개 뚫고 굵은 빨대를 끼운다. 구멍의 크기는 굵은 빨대 크기와 같도록 하여 굵은 빨대가 움직이지 않도록 한다.
③ 굵은 빨대 속에 가는 빨대를 끼운다.
④ 페트병 뚜껑 가운데 가는 빨대 굵기와 같은 구멍을 한 개씩 뚫는다.
⑤ 가는 빨대 양쪽에 페트병 뚜껑을 각각 1개씩 끼운다. 페트병 뚜껑과 가는 빨대가 움직이지 않도록 고정한다.
⑥ 페트병 뚜껑 가장자리에 고무찰흙을 붙인다.
⑦ 2개의 동전 자석을 붙여 보고, 같은 극을 표시한다.
⑧ 표시한 극이 위쪽을 향하도록 종이컵 밑면에 붙인다.
⑨ 표시한 극이 바깥쪽을 향하도록 나머지 동전 자석을 수수깡에 붙인다.
⑩ 수수깡 막대를 자석 인형에 가까이 가져가본다.

주의사항

- 굵은 빨대 안에서 가는 빨대가 자유롭게 움직일 수 있어야 한다.
- 페트병 뚜껑 정가운데에 구멍을 뚫는다.

정답 및 해설 13쪽

1 자석이 붙어 있는 막대를 자석 인형에 가까이 가져갔을 때의 변화를 적어보세요.

2 자석 인형이 움직이는 원리를 적어보세요.

3 자석 인형이 빨리 움직일 수 있는 방법을 적어보세요.

4 STEAM
다음은 자기부상열차가 달리는 모습과 자기 부상 열차의 구조를 간단히 나타낸 것입니다. 그림을 바탕으로 사기 부상 열차의 원리를 적어보세요.

자기부상열차

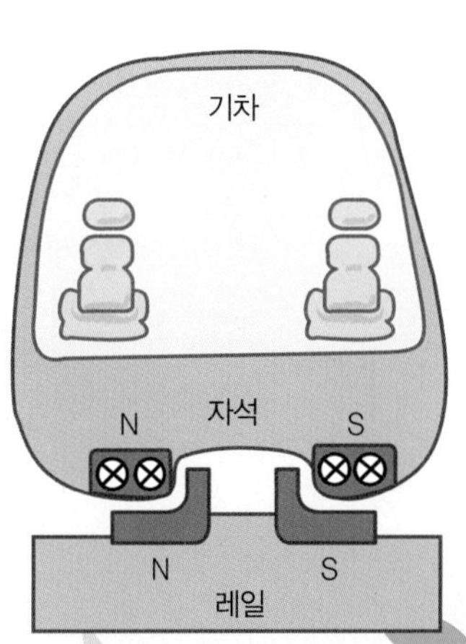

Ⅳ 지구의 모습

이 단원의 주요 내용

지구와 달의 모양과 모습을 다룬다.
우리가 살고 있는 지구의 모양과 모습이
어떠한지 이해하고, 달과 비교하여 지구가
생명이 살 수 있는 소중한
곳임을 안다.

★ 2015 개정 교육과정 교과서

초등 3~4학년 군 :
3학년 1학기 4단원 지구와 달

★ 다른 학년과의 연계

초등 3~4학년 군 : 지표의 변화, 화산과 지진, 지층과 화석
초등 5~6학년 군 : 지구와 달의 운동
중학교 1~3학년 군 : 지권의 변화

둥근 모양의
07 우리의 지구

1 지구와 달의 모양

1. 지구와 달의 모습

▲ 지구

▲ 달

2. 지구와 달의 공통점과 차이점

구분	지구	달
공통점	ⓐ______ 모양이다.	
관찰할 수 있는 것	육지, 바다, 구름 등	운석 구덩이, 밝은 부분과 어두운 부분
차이점	구름과 바다가 있다.	밝은 부분과 어두운 부분이 있다.

3. 지구가 둥근 증거 심화

① 한 방향으로만 가도 지구 한 바퀴를 돌 수 있다. ➡ 마젤란의 세계 일주

② 월식 때 달에 비친 지구의 그림자가 둥글다.

③ 항구로 들어오는 배는 ⓑ______부터 보이고, 항구에서 나가는 배는 ⓒ______부터 사라진다.

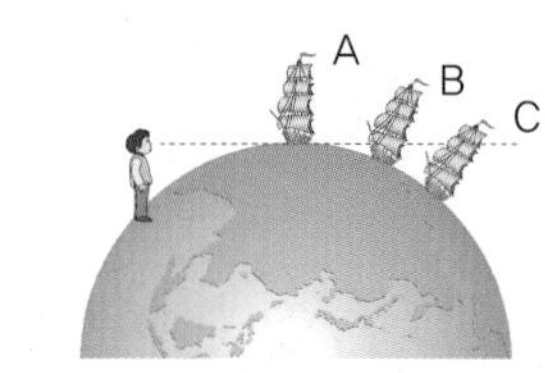

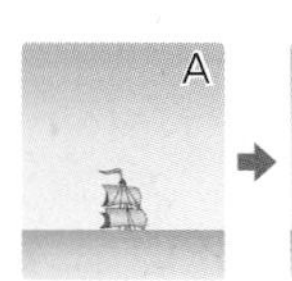

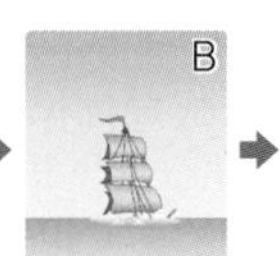

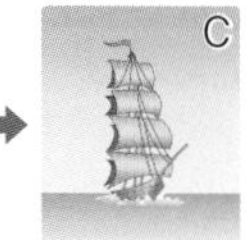

★더 알아보기 옛날 사람들이 생각한 지구의 모습

① **메소포타미아의 수메르인 :** 지구는 평평하고 둥근 천장(하늘)이 덮고 있다. 천장과 땅 사이에는 태양, 달, 별들이 가득 차 있다고 생각했다.

② **고대 이집트인 :** 몸에 별을 새긴 하늘의 여신 누트가 평평한 땅을 위에서 에워싸고 있다. 누트가 입으로 태양을 삼키면 밤이 되고 자궁으로부터 태양이 나오면 낮이 된다고 생각했다.

③ **고대 인도인 :** 거대한 뱀 위에 거북이 올라앉아 있고, 그 거북이 등 위에 네 마리의 코끼리가 반구의 땅을 떠받들고 있다고 생각했다.

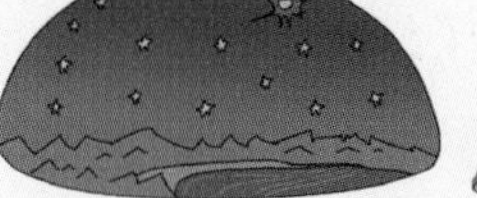
▲ 수메르인

▲ 이집트인

▲ 인도인

개념 더하기

● **지구의 모습**

지구는 둥근 모양이고, 지구 중심으로 작용하는 중력 때문에 지구 반대편에 있는 사람도 아래로 떨어지지 않는다.

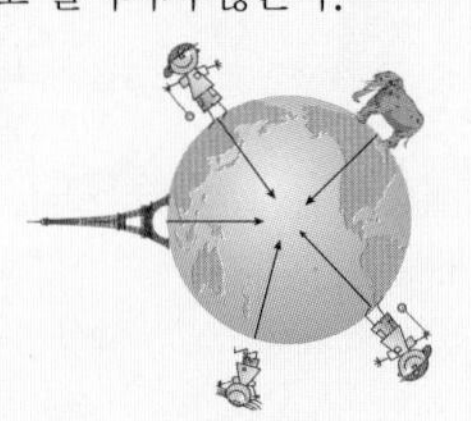

● **월식**

태양-지구-달의 위치로 배열되어 달이 지구의 그림자에 가려지는 현상이다.

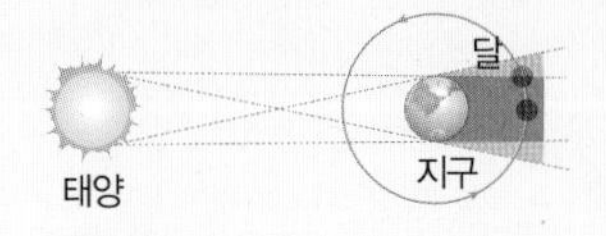

용어 풀이

월식(달 月, 좀먹을 蝕)
지구의 그림자에 의해 달이 가려져서 전부 또는 일부가 보이지 않는 현상

정답

ⓐ 둥근 ⓑ 돛대 ⓒ 아래

2 지구의 표면

1. 지구의 지형

① ⓐ______ : 지구 표면의 모양

② **지구의 지형** : 지구의 지형은 육지와 바다로 나뉜다.

▲ 육지와 바다

2. 지구 표면에서 볼 수 있는 지형

① **물과 관련된 지형** : 강, 호수, 시냇물, 폭포, 바다 등

▲ 강

▲ 호수

▲ 시냇물

▲ 폭포

▲ 바다

② **땅과 관련된 지형** : 산, 골짜기, 들 등

- **땅** : 강이나 바다와 같이 물이 있는 곳을 제외한 지구의 표면
- **산** : 평지보다 높이 솟아 있는 곳
- **골짜기** : 산과 산 사이, 절벽과 절벽 사이의 움푹 들어간 곳
- **들** : 편평하고 넓게 트인 땅

▲ 산

▲ 골짜기

▲ 들

③ **육지의 생물** : 여러 가지 동물과 식물, 사람이 산다.

3. 바닷속 지형 심화

① **바닷속 모습** : 물로 덮여 있어 편평하게 보이지만 실제로는 그렇지 않다.

② **바닷속 지형의 특징**

- 바닷속에는 산과 골짜기도 있고 넓고 편평한 곳도 있다.
- 땅의 모습과 비슷하다.

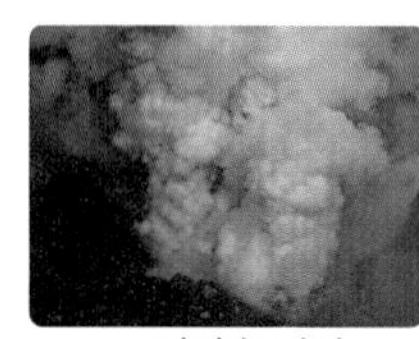
▲ 바닷속 화산

▲ 바닷속 골짜기

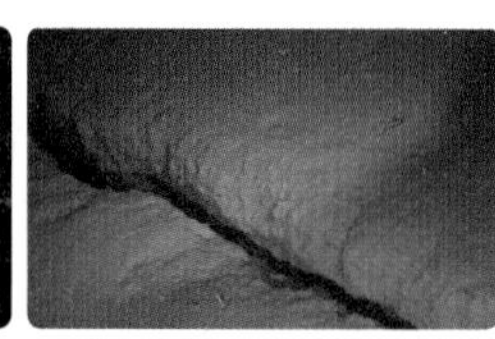
▲ 바닷속 편평한 곳

③ **바닷속 생물** : 헤엄치는 물고기와 바닷속에서 사는 식물 등 많은 생물이 있다.

개념 더하기

● **지구의 지형**
우리가 살고 있는 지구에는 높고 험준한 산맥에서부터 넓은 들, 구불구불 흐르는 하천, 육지와 바다가 만나는 해안선에 이르기까지 다양한 지형이 있다.

● **지구의 땅**
땅은 지구 표면 육지 중에서 강, 호수, 바다와 같이 물로 된 부분이 아닌, 흙이나 암석으로 된 부분이다. 사람들은 땅 위에 집을 짓고, 농사를 지으며, 여러 가지 생활을 하며 살아간다.

용어 풀이

지형(땅 地, 모습 形)
땅의 모습

정답

ⓐ 지형

07 우리의 지구

개념 더하기

● 지구의 바다
- 북반구에서는 61 %가 바다이고 39 %가 육지이다.
- 남반구에서는 81 %가 바다이고 19 %가 육지이다.
- 바다에서 제일 깊은 곳은 마리아나 해구로 수심 11,034 m이고, 바다의 평균 수심은 약 3,800 m이다.

● 바닷물이 짠 이유
- 바닷물에는 염화 나트륨(소금)이 많이 녹아 있어서 짜고, 염화 마그네슘이 녹아 있어서 쓰다.
- 바닷물에 녹아 있는 여러 물질은 빗물에 육지의 성분이 녹아 강과 바다로 흘러들어오거나 바다 밑에서 화산이 폭발할 때 나온 물질이 물에 녹은 것이다.

● 바닷물을 마시면 안되는 이유

바닷물은 우리 몸의 수분보다 농도가 높다. 따라서 바닷물을 마시면 우리 몸은 바닷물의 농도를 낮추려고 더 많은 양의 수분을 배출하므로 더 갈증을 느끼게 되고 탈수 현상이 나타난다.

정답

ⓐ 바다 ⓑ 육지 ⓒ 바닷물 ⓓ 소금 ⓔ 없

3 지구의 육지와 바다

1. 지구의 육지와 바다

① 지구의 표면은 약 71 %는 ⓐ______로, 약 29 %는 ⓑ______로 이루어져 있다.

② 전체 면적 50칸 중에서 육지는 14칸이고 바다는 36칸이다.

③ 육지는 북반구에 많이 분포하고, 바다는 남반구에 많이 분포한다.

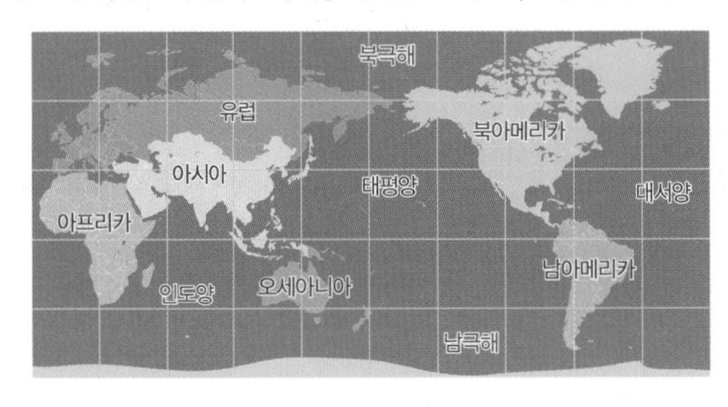

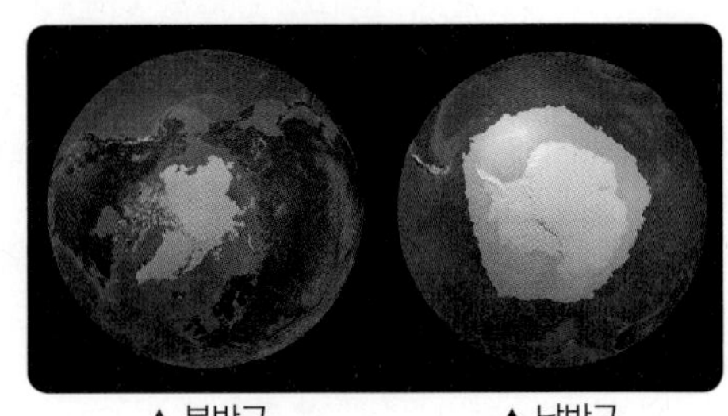

▲ 북반구 ▲ 남반구

2. 지구의 물

① 지구 물의 대부분은 ⓒ______이다.

바닷물	육지의 물
• 지구 물의 약 97 %를 차지한다. • 짠맛이 나는 ⓓ______ 등 여러 가지 물질이 녹아 있다. • 사람이 마실 수 ⓔ___다.	• 지구 물의 약 3 %를 차지한다. • 짠맛이 없다. • 사람이 마실 수 있다. • 대부분 빙하로 있어 이용하기 힘들다. • 강, 호수, 지하수 물을 주로 이용한다.

4 지구를 둘러싼 공기

1. 공기를 느낄 수 있는 방법

① 고무풍선을 불어 불지 않은 풍선과 무게를 비교하여 본다.

② 풍선에 바람을 넣고 입구에서 바람을 맞아본다.

③ 달리기를 하며 얼굴에 스치는 바람을 느껴 본다.

④ 연을 하늘 높이 날리거나, 바람개비를 돌려 본다.

2. 비닐봉지에 공기 담아보기

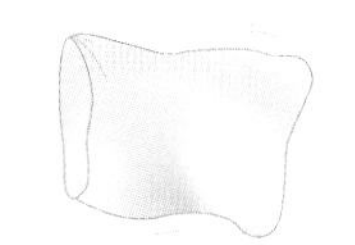

▲ 빈 비닐봉지

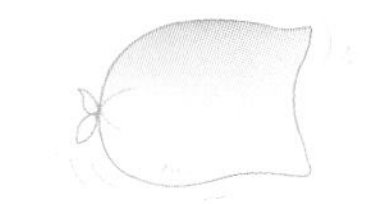
▲ 부풀린 비닐봉지

① 부풀린 비닐봉지에는 ⓐ______가 들어 있다.
➡ 공기는 일정한 공간을 차지한다.

② 부풀린 비닐봉지는 일정한 모양을 이루고 있다.
➡ 공기가 차지하는 공간은 공기를 담는 그릇 모양과 같다.

③ 부풀린 비닐봉지를 눌러 보면 무엇인가 있는 것이 느껴진다.

④ 부풀린 비닐봉지가 빈 비닐봉지보다 더 무겁다.
➡ 공기는 ⓑ______를 가지고 있다.

3. 우리 주위를 둘러싸고 있는 공기

① 공기가 없을 때 일어날 수 있는 일
- 숨을 쉬지 못한다.
- 구름이 생기지 않으며 비가 오지 않는다.

② 공기가 있어서 좋은 점
- 숨을 쉴 수 있다.
- 비행기나 새가 하늘을 날 수 있다.

③ ⓒ______ : 지구 주위를 둘러싼 공기층

④ 대기가 우리에게 주는 이로운 점
- 우주에서 오는 해로운 물질을 막아 준다.
- 지구에 생물이 살 수 있게 해 준다.
- 우주로 나가는 열을 막아 지구를 따뜻하게 해주고 온도를 일정하게 유지시켜 준다.

★생활 속 과학 우주 비행사가 입는 우주복

우주 비행사들이 우주 공간에 나갈 때 굉장히 무거운 우주복을 입는다. 우주에는 산소가 없어서 숨을 쉴 수 없으므로 산소 탱크가 달린 우주복을 입어야 한다. 달 표면을 탐사할 때에도 우주복을 입어야 한다. 중력이 약한 달은 달 표면에 공기를 붙잡아 둘 수 없어 지구처럼 공기층이 없기 때문이다.
우주복은 산소를 공급하는 일 이외에도 압력과 온도를 조절하고, 우주 공간에서 날아오는 해로운 물질로부터 우주 비행사의 몸을 보호해 준다.

개념 더하기

● **대기의 구성**
지구를 둘러싸고 있는 대기는 여러 가지 기체의 혼합물이다. 수증기를 제외한 건조한 공기는 약 78 %의 질소, 21 %의 산소 0.93 %의 아르곤 0.035 %의 이산화 탄소와 나머지 미량의 기체들로 이루어져 있다.

● **오존**
오존은 지상에서 약 20~50 km 높이에 집중적으로 분포되어 있으며, 이 층을 오존층이라 한다. 오존은 햇빛 중에서 생물체에게 해로운 자외선을 흡수하여, 지표면까지 도달하지 못하도록 막아 준다.

용어 풀이

✓ **대기(큰 大, 기운 氣)**
지구를 둘러싸고 있는 공기

정답

ⓐ 공기 ⓑ 무게 ⓒ 대기

개념기르기

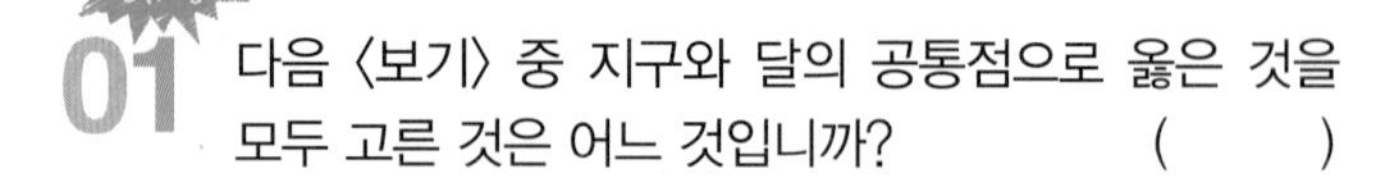

신유형

01 다음 〈보기〉 중 지구와 달의 공통점으로 옳은 것을 모두 고른 것은 어느 것입니까? (   )

보기
㉠ 둥근 모양이다.
㉡ 구름과 바다가 있다.
㉢ 밝고 어두운 부분만 있다.

① ㉠
② ㉢
③ ㉠, ㉡
④ ㉡, ㉢
⑤ ㉠, ㉡, ㉢

02 다음과 같이 배가 항구로부터 가까워질 때, 배의 모습에 대한 설명으로 옳은 것을 모두 고르시오. (,   )

① 배의 크기가 점점 커진다.
② 배의 크기가 점점 작아진다.
③ 배의 아랫부분부터 점점 나타난다.
④ 배의 윗부분인 돛대부터 점점 사라진다.
⑤ 배의 윗부분인 돛대부터 점점 나타난다.

03 다음 중 지구가 둥글다는 것을 알 수 있는 증거로 옳지 않은 것은 어느 것입니까? (   )

① 높은 곳에 올라갈수록 더 넓게 볼 수 있다.
② 월식 때 달에 비친 지구의 그림자가 둥글다.
③ 한 방향으로만 가도 지구 한 바퀴를 돌 수 있다.
④ 달의 모양이 그믐달에서 보름달로 계속 바뀐다.
⑤ 인공위성에서 지구를 찍은 사진 모습이 둥글다.

04 다음 지구 표면에서 볼 수 있는 지형 중에 물과 관련 없는 지형은 어느 것입니까? (   )

①

강

②

폭포

③
골짜기

④

시냇물

⑤

바다

05 다음 〈보기〉 중 바닷속 지형에 대한 설명으로 옳은 것을 모두 고른 것은 어느 것입니까? (   )

보기
㉠ 산과 골짜기가 있다.
㉡ 물로 덮여 있어 바닷속은 편평하다.
㉢ 바닷속에 화산이 있어 화산 활동을 한다.
㉣ 바닷속에는 물고기와 식물 등 많은 생물이 있다.

① ㉠, ㉡
② ㉠, ㉡, ㉢
③ ㉠, ㉢, ㉣
④ ㉡, ㉢, ㉣
⑤ ㉠, ㉡, ㉢, ㉣

신유형

06 다음 중 지구의 육지와 바다에 대한 설명으로 옳은 것은 어느 것입니까? ( )

① 전체 면적 중 육지는 36칸이고, 바다는 14칸이다.
② 지구 표면의 71 %는 바다로 덮여 있다.
③ 지구 표면의 71 %는 육지로 덮여 있다.
④ 북반구에는 바다가 많이 분포한다.
⑤ 남반구에는 육지가 많이 분포한다.

중요

07 다음 중 바닷물과 육지의 물을 비교한 내용으로 옳지 않은 것은 어느 것입니까? ( )

① 지구의 물은 대부분 바닷물이다.
② 육지의 물은 짠맛이 없다.
③ 바닷물은 짜다.
④ 바닷물은 마실 수 있다.
⑤ 바닷물에는 소금 등 여러 가지 물질이 녹아 있다.

08 다음 중 공기를 느낄 수 있는 방법으로 옳지 않은 것은 어느 것입니까? ( )

① 연을 하늘 높이 날린다.
② 뛰면서 바람개비를 돌린다.
③ 물이 증발하는 모습을 관찰한다.
④ 부채질을 하여 얼굴에 바람을 느낀다.
⑤ 고무풍선을 불어 빈 풍선과 무게를 비교한다.

09 다음 중 빈 비닐 봉지와 부풀린 비닐 봉지를 비교한 것 중에서 옳지 않은 것을 모두 고르시오. (,)

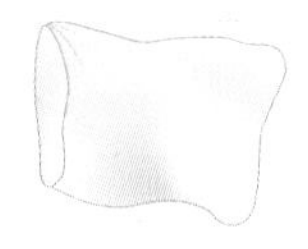
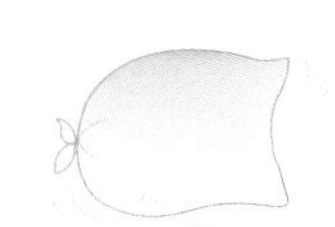

① 부풀린 비닐 봉지에는 공기가 들어 있다.
② 부풀린 비닐 봉지는 일정한 모양을 이룬다.
③ 부풀린 비닐 봉지와 빈 비닐 봉지의 무게는 같다.
④ 부풀린 비닐 봉지를 오래 놓아두면 속에서 물이 생긴다.
⑤ 부풀린 비닐 봉지를 눌러 보면 무엇인가 있는 것으로 느껴진다.

10 다음 〈보기〉 중 대기가 우리에게 주는 이로운 점을 모두 고른 것은 어느 것입니까? ( )

보기
㉠ 우주에서 오는 해로운 물질을 막는다.
㉡ 지구에 생물이 살 수 있게 해준다.
㉢ 지구를 따뜻하게 해준다.
㉣ 온도를 일정하게 유지시킨다.

① ㉠, ㉡
② ㉠, ㉡, ㉢
③ ㉠, ㉢, ㉣
④ ㉡, ㉢, ㉣
⑤ ㉠, ㉡, ㉢, ㉣

서술형으로 다지기

손에 잡히는 문제 해결

지구의 모양

▼

지구가 둥글어서 일어날 수 있는 일은 무엇인가요?

▼

지구가 편평할 때 일어날 수 있는 일을 지구가 둥근 증거에 적용시켜 봅니다.

01 다음은 고대 수메르인과 인도인이 생각한 지구의 모습입니다. 이들이 생각한 대로 지구가 만약 편평하였다면 어떤 일들이 일어났을지 상상하여 적어보세요.

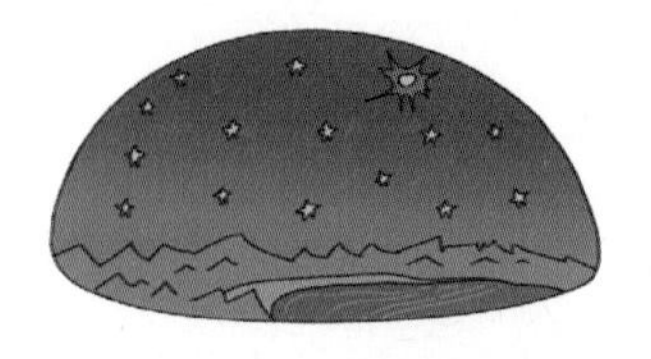

수메르인이 생각한 지구

인도인이 생각한 지구

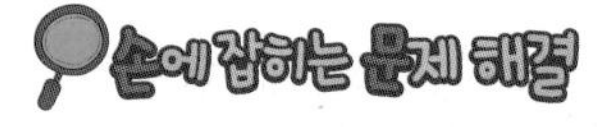

손에 잡히는 문제 해결

지구와 달의 대기 비교

▼

지구와 달의 차이점을 크기, 질량 등으로 구분해 봅니다.

▼

대기가 어떤 힘에 의해 지구에만 존재하는지 생각해 봅니다.

02 다음과 같이 지구에는 대기가 있어서 생물이 살 수 있지만 달에는 대기가 없어서 생물이 살 수 없습니다. 이렇게 지구에는 대기가 있지만 달에는 대기가 없는 이유를 적어보세요.

03 질소, 산소, 이산화 탄소, 헬륨 등 여러 기체가 섞여 있는 공기는 우리가 살기 위해 꼭 필요한 것이지만 눈에 보이지 않아서 그 소중함을 잊고 살 때가 많습니다. 공기는 눈에 보이지 않지만 연기는 볼 수 있는 이유를 적어보세요.

손에 잡히는 문제 해결

공기의 소중함

▼

연기는 무엇으로 이루어져 있는지 생각해 봅니다.

▼

연기에 포함된 어떤 물질 때문에 볼 수 있나요?

04 지구 주위를 돌고 있는 우주정거장 속은 무중력 상태로 지구와는 다른 경험을 하게 됩니다. 공기가 가득 차 있는 우주정거장 속에서 촛불을 켜면 바로 꺼집니다. 그 이유를 적어보세요.

손에 잡히는 문제 해결

촛불이 타는 원리 알기

▼

지구에서 촛불 주변의 공기의 흐름을 생각해 봅니다.

▼

무중력 상태에서 촛불 주변의 공기의 흐름은 어떠한가요?

융합사고력 키우기

- ✓ Science
  - ▶ 지구
- Technology
- ✓ Engineering
  - ▶ 지오이드
- Art
- Mathmatics

실제 지구의 모양은?

'블루 마블(The Blue Marble)'. 지난 1972년 12월 7일 아폴로 17호의 승무원이 찍은 지구 사진의 이름이다. 여기에는 동그란 지구와 구름에 덮인 아프리카 대륙과 대서양, 인도양이 또렷하게 담겨 있다. 이 선명한 모습 때문에 '블루 마블'은 가장 유명한 지구 사진이 되었다.

그런데 최근 유럽우주국(ESA)이 '실제 지구 모습에 가장 가까운 사진'이라고 밝힌 지구 사진은 '블루 마블'과 많이 다르다. 전체적인 모양은 감자를 닮았고 빨강, 노랑, 파랑색이 뒤섞여 울퉁불퉁한 표면을 장식하고 있다.

이 충격적인 사진은 '지오이드(geoid)'라는 지구 중력장 지도이다. 우리는 지구가 동그란 공 모양이라고 알고 있지만, 중력으로 나타낸 지구는 울퉁불퉁한 감자 모양이다. 지구는 지역마다 질량이 조금씩 달라서 중력 차이가 최대 100만 분의 1까지 나게 된다.

히말라야 산맥처럼 암석이 많이 쌓이는 지역은 질량이 크기 때문에 중력도 다른 데보다 크다. 바다는 해류나 밀물 · 썰물에 의해 생겨난 언덕과 계곡이 있어서 질량이 차이 난다. 이렇게 지형에 따라 달라지는 중력을 표시한 지도가 바로 '지오이드'이다.

지오이드

1 물건을 높이 던지면 올라가다가 다시 땅으로 떨어집니다. 마찬가지로 지구에 있는 모든 물체는 지구가 잡아 당기는 힘을 받습니다. 지구가 물체를 끌어당기는 힘을 무엇이라고 하나요?

용어 풀이

✓ **중력장**
중력이 영향을 미치는 공간으로 지구 표면의 중력(만유인력)과 지구의 회전으로 인한 원심력을 합한 것

2 지구의 지역마다 달라지는 중력을 정확하게 측정하기 위해 미국항공우주국(NASA)은 쌍둥이 위성을 이용하였습니다. 어떤 원리로 지구의 중력을 정확하게 측정하였는지 적어보세요.

지구의 중력 측정

두 위성을 통해 지구 중력을 측정할 수 있는 방법을 생각해 봅니다.

두 위성의 거리가 일정하게 지구 주위를 돌 때 거리가 달라지는 경우는 무엇인가요?

논술형

3 지구가 지금과 같이 둥근 공 모양이 아닌 네모난 주사위 모양이라면 지금과 어떻게 달라졌을지 추리하여 네 가지 이상 적어보세요.

지구의 모양

지구가 둥글어서 일어나는 일을 생각해 봅니다.

지구가 네모일 때 면에 있을 때와 모서리에 있을 때 어떤 차이가 있을까요?

울퉁불퉁한
08 지구의 달

1 달의 표면

1. 옛날 사람들이 생각한 달 표면

① 옛날 사람들이 달을 보고 떠올렸던 모습

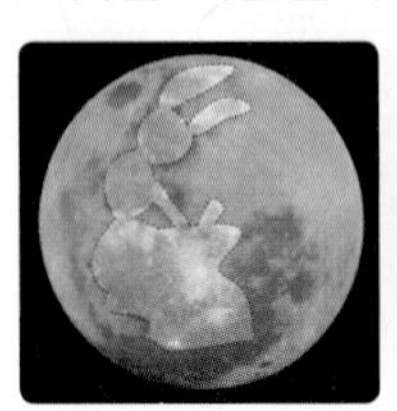
▲ 방아 찧는 토끼

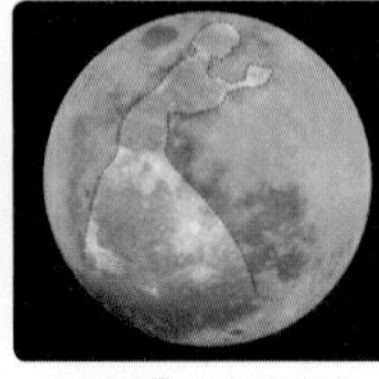
▲ 거울 보는 여인

▲ 집게발을 쳐든 게

▲ 목걸이를 한 여인

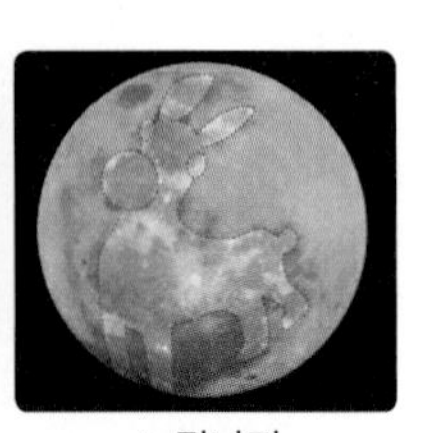
▲ 당나귀

② 여러 가지 모습을 떠올린 이유 : 달의 어두운 부분과 밝은 부분이 보는 사람에 따라 여러 가지 모습을 보였기 때문이다.

2. 달 표면 관찰

① 다양한 달의 표면 관찰하기 : 맨눈, 쌍안경, 천체 망원경, 탐사선으로 달 표면을 관찰한다.

▲ 맨눈으로 본 달

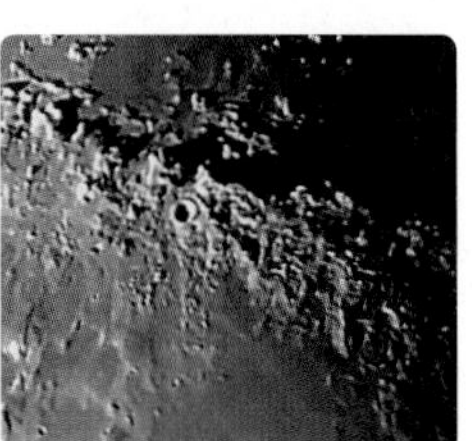
▲ 망원경과 탐사선으로 본 달

② 달 표면 특징

- 회색이다.
- 매우 울퉁불퉁하며, 크고 작은 둥근 ⓐ________가 많이 보인다. ➡ 운석 구덩이
- 밝은 부분과 어두운 부분으로 나눌 수 있다. ➡ 달의 육지와 바다
- 산과 계곡이 보인다.

★더 알아보기 지구에도 운석 구덩이가 있을까?

지구에서도 달처럼 흔하지는 않지만, 운석 구덩이를 볼 수 있다. 달에는 물과 공기가 거의 없기 때문에 오랜 시간이 지나도 운석 구덩이의 흔적이 지워지지 않고 그대로 남아 있다. 그러나 지구에는 대기가 있어 지구로 떨어지는 운석의 대부분이 대기를 통과하면서 타서 없어져 운석이 생기기 어렵다. 또한 지구에서는 운석이 생기더라도 바람, 비, 흐르는 물 등의 작용으로 운석 구덩이의 흔적이 지워지기 때문에 운석 구덩이가 많이 남아 있지 않다.

▲ 남아공, 브레드포트 운석 구덩이

개념 더하기

● 망원경으로 달 관찰하기

- 달에는 물이 거의 없어 구름이 생기지 않으므로 망원경을 통해 달 표면의 모습을 자세히 관찰할 수 있다.
- 배율이 20배 이상 되는 망원경을 삼각대에 고정시켜서 보면 흔들리지 않은 달의 모습을 관찰할 수 있다.

● 운석 구덩이

달 표면은 수많은 운석 구덩이로 덮여있다. 우주에서 운석이 달 표면에 떨어지면 둥근 모양의 구덩이가 만들어진다. 달에는 대기가 없으므로 운석 구덩이가 오랜 시간 그대로 남아 있게 된다.

용어 풀이

방아
곡식을 빻거나 찧는 기구

정답

ⓐ 구덩이

3. 달의 여러 가지 지형

① 달의 육지와 바다

• 달의 ⓐ______ : 달 표면의 밝은 부분이다.

• 달의 ⓑ______ : 달 표면의 어두운 부분이며, 물은 없다.

② 운석 구덩이

• 가운데가 불룩하고 가장자리는 담처럼 둘러싸여 있다.

• 큰 것도 있고 작은 것도 있으며, 이어져 보이는 것도 있다.

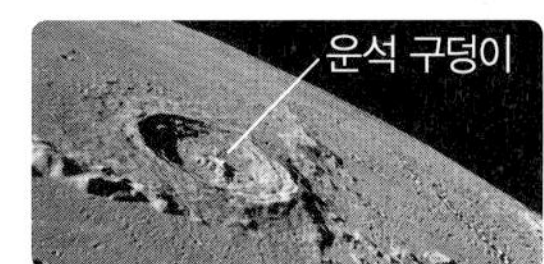

③ 산맥 : 달 표면에는 지구처럼 산맥이 있다.

2 지구와 달의 모형 만들기

★탐구 지구와 달 모형 만들기

탐구 과정

① 지점토로 큰 공 모양을 만들고, 유성 펜이나 그리기 도구로 지구 표면을 그린다.

② 지점토로 큰 공의 지름보다 $\frac{1}{4}$ 정도 작은 공 모양을 만들고, 달 표면을 그린다.

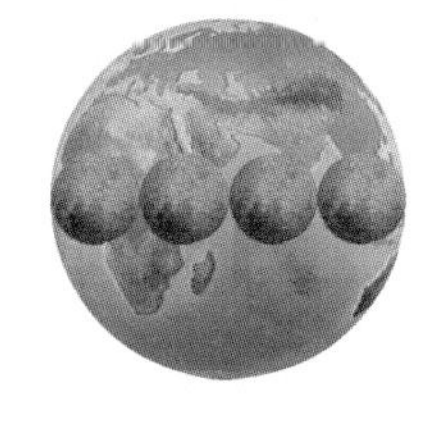

탐구 결과 및 결론

① 지구와 달은 모두 ⓒ______ 모양이다.

② 지구가 달보다 더 ⓓ___다. 달은 지구보다 지름이 $\frac{1}{4}$ 정도 작다.

③ 지구는 푸른색을 띠고 있으며, 육지와 바다, 구름이 있다.

④ 달은 하얀색, 회색, 노란색 등 다양하고, 구덩이가 많다.

★더 알아보기 달은 어떻게 생겨났을까?

달에서 가져온 암석들을 분석한 결과 지구의 암석들과 성분이 비슷한 것으로 밝혀졌다. 이러한 사실로부터 달은 지구의 일부였을 것이라고 생각하였다. 과학자들이 밝혀낸 바로는, 아주 오래전 어떤 천체가 지구와 충돌할 때 지구에서 떨어져 나간 수많은 암석 조각들이 지구 주변에 붙잡혀서 돌게 되었고, 오랜 세월이 흐르는 동안 수많은 암석 조각들이 서서히 뭉쳐져서 지금의 달이 만들어졌다고 보고 있다.

개념 더하기

● 달의 바다와 육지

• 달의 바다 : 달의 바다에는 실제로 물이 존재하지 않으며, 현무암질의 암석으로 이루어져 있어 어둡게 보인다.

• 달의 육지 : 달의 바다보다 상대적으로 높은 지역으로 밝게 보인다.

용어 풀이

운석
우주공간으로부터 지표로 떨어진 암석

정답

ⓐ 육지 ⓑ 바다 ⓒ 둥근
ⓓ 크

3 지구와 달 비교하기

1. 지구와 달의 모습 비교하기

구분	지구	달
모습		
비슷한 점	• ⓐ______ 모양이다. • 표면에 돌과 흙이 있다. • 깊은 곳도 있고, 높이 솟은 곳도 있다.	
차이점	• 푸른색으로 보인다. • 공기가 있다. • ⓑ___이 있는 바다가 있다. • ⓒ______이 많이 살고 있다.	• 회색으로 보인다. • 공기가 없다. • 물이 있는 바다가 없다. • 생물이 없다.

● 달에 생명체와 물이 있을까?
달이나 우주에 물이나 생물이 있는지 없는지에 대한 문제는 아직까지 연구 중이다. 최소한 사람이 탐사를 해 본 달의 경우 현재 인간과 같은 고등 생물은 없는 것으로 알려져 있고, 물도 극지방이나 지표 속에 액체가 아닌 고체 상태로 존재하는 것으로 알려져 있다.

2. 생물이 사는 환경

① 우리 주변에서 생물이 살아가는 곳 : 육지, 호수, 하늘에서 생물을 볼 수 있다.

② 지구에서 생물이 살아가기 위해 필요한 것 : 물, 공기, 음식(영양분), 빛, 쉴 곳 등이 필요하다.

3. 지구에 생물이 살 수 있는 까닭

① 지구와 달의 환경 비교

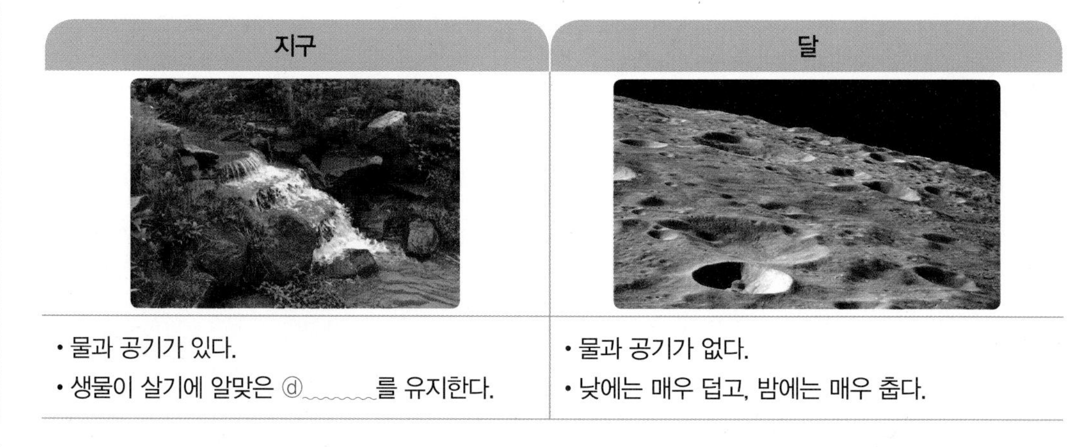

지구	달
• 물과 공기가 있다. • 생물이 살기에 알맞은 ⓓ______를 유지한다.	• 물과 공기가 없다. • 낮에는 매우 덥고, 밤에는 매우 춥다.

ⓐ 둥근 ⓑ 물 ⓒ 생물 ⓓ 온도

② 지구에는 생물이 살지만 달에는 생물이 살 수 없는 까닭

구분	지구	달
공기 관점	• 공기는 우주에서 오는 해로운 광선을 막아 준다. • 공기는 온도를 유지시켜 준다. • 공기는 생물이 숨을 쉴 수 있게 해 준다.	• 공기가 ⓐ ___ 다.
물 관점	• 물은 생물의 몸에서 많은 부분을 차지한다. • 물은 생물이 생명을 유지하는 데 필요한 화학 반응의 기본이 된다.	• 물이 ⓑ ___ 다.
온도 관점	• 매우 춥거나 더운 곳도 있지만 많은 곳이 생물이 살기에 적합한 온도를 유지한다.	• 햇빛이 비추는 곳은 130 ℃이고, 햇빛이 비추지 않은 곳은 −170 ℃ 가까이 된다. • 생물이 살기 어려운 온도이다.

4 소중한 지구 보존하기

1. 지구를 보존하기 위해 실천할 수 있는 방법

① 물 아껴 쓰기

- 양치질 할 때 컵을 이용하면 사용하는 물의 양을 70~80 % 정도 줄일 수 있다.
- 세수와 설거지를 할 때 물을 받아서 사용한다.
- 샤워하는 시간을 줄인다.
- 변기에 물을 채운 병을 넣어 사용하는 물의 양을 줄인다.
- 세탁할 때 적당량의 세제를 사용한다.
- 절약형 절수기를 사용한다.

▲ 물을 채운 병을 넣은 변기 물통

② 재활용품 분리배출하기

- 재활용품을 분리배출하면 환경을 보존하고 자원을 절약할 수 있다.

③ 불필요한 콘센트 뽑기

- 전자 제품을 사용하지 않을 때는 전력 차단과 안전을 위해 콘센트를 뽑는다.

④ 불필요한 전등 끄기

- 외출할 때나 방을 사용하지 않을 때 전등을 끄면 약 10 %의 절전 효과가 있다.

⑤ 나무 심기

- 나무는 광합성 작용을 통해 이산화 탄소를 흡수하므로 대기 중의 이산화 탄소 농도를 줄여 지구 온난화를 해결할 수 있다.

개념 더하기

● **온실 효과**

지구가 방출하는 에너지의 일부가 대기 중의 수증기나 이산화 탄소에 의해 흡수된 후 다시 지표로 방출되어 지구 온도를 높이는 현상이다. 현재 지구의 평균 기온은 약 15 ℃이다. 만약 대기에 의한 온실 효과가 없다면 지구의 평균 기온은 −18 ℃ 정도까지 내려가게 될 것이다.

● **지구 온난화**

- 온실 효과를 일으키는 온실 가스가 대기 중에 너무 많아져서 지구의 온도가 점점 올라가는 현상이다. 석탄이나 석유와 같은 화석 연료를 사용할 때 나오는 이산화 탄소가 내표적인 원인으로 꼽힌다.
- 지구 온난화는 지구의 이상 기후를 초래해서 서늘한 여름이나 따뜻한 겨울이 계속되기도 한다. 또한, 한꺼번에 많은 양의 눈이나 비가 내리거나 때 아닌 태풍 등 기상 이변이 나타나기도 한다.

용어 풀이

지구 온난화(땅 地, 둥글 球, 따뜻할 溫, 따뜻할 暖, 될化)
지구의 평균 기온이 점점 높아지는 현상

정답

ⓐ 없 ⓑ 없

개념기르기

01 다음은 옛날 사람들이 달을 보고 떠올렸던 방아 찧는 토끼와 거울 보는 여인의 모습을 나타낸 것입니다. 달을 보고 여러 가지 모습을 떠올린 이유로 옳은 것은 어느 것입니까? (　　)

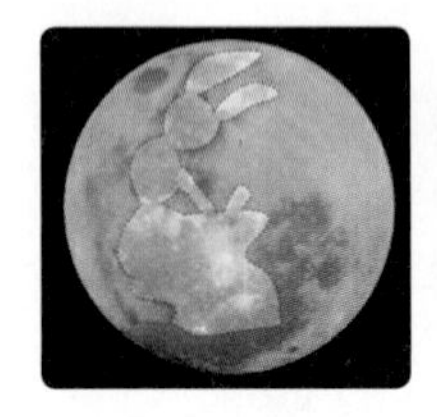
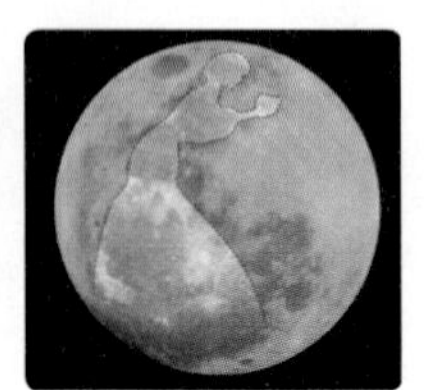

① 달이 둥근 모양이기 때문이다.
② 달이 태양 빛을 반사하기 때문이다.
③ 달 표면 색깔이 회색이기 때문이다.
④ 보는 사람에 따라 여러 가지 모습으로 보여지기 때문이다.
⑤ 달의 표면이 세계 여러 나라마다 다르게 보이기 때문이다.

중요

02 다음 중 달의 모습에 대한 설명으로 옳은 것을 모두 고르시오. (　　,　　)

① 달의 모양이 둥글다.
② 달의 구름 때문에 회색으로 보인다.
③ 밝은 부분과 어두운 부분이 보인다.
④ 밝은 부분은 별빛이 반사되어 보인다.
⑤ 파란색을 띠는 부분은 달의 바다 부분이다.

03 다음 그림과 같이 달 표면에 있는 크고 작은 둥근 구덩이에 대한 설명으로 옳지 않은 것은 어느 것입니까? (　　)

① 구덩이의 수가 많다.
② 구덩이의 크기가 다양하다.
③ 구덩이가 이어져 보이는 것도 있다.
④ 운석이 떨어져 생긴 구덩이로 운석 구덩이라고 한다.
⑤ 구덩이의 모양은 운석이 박혀 가운데가 불룩하게 튀어나와 있다.

신유형

04 다음은 지점토로 큰 공과 작은 공을 만들고 그리기 도구로 색을 칠하여 지구와 달의 모형을 만든 것입니다. 이에 대한 설명으로 옳은 것을 모두 고르시오. (　　,　　)

① 지구와 달은 모두 네모 모양이다.
② 지구가 달보다 더 크지만 무게는 작다.
③ 지구는 육지, 바다, 구름이 있어 푸른색을 띤다.
④ 지구는 달보다 지름이 6배 크다.
⑤ 달의 육지는 밝은 부분이고, 달의 바다는 어두운 부분이지만 물은 없다.

05 다음 중 지구의 모습과 비교하였을 때 달의 다른 점으로 옳은 것은 어느 것입니까? ( )

① 전체 모양이 둥글다.
② 생물이 살지 않는다.
③ 표면에 돌과 흙이 있다.
④ 표면이 대부분 파랗게 보인다.
⑤ 산처럼 높이 솟은 지형이 있다.

06 다음 중 지구에서 생물이 살아가기 위해 필요하지 않은 것만으로 짝지은 것은 어느 것입니까? ( )

물 햇빛 공기 운석
음식 달빛 적당한 온도

① 운석, 달빛
② 햇빛, 공기, 달빛, 적당한 온도
③ 공기, 운석, 달빛, 적당한 온도
④ 물, 햇빛, 운석, 음식, 적당한 온도
⑤ 물, 햇빛, 공기, 음식, 적당한 온도

중요

07 다음 중 달에서 생물이 살 수 없는 이유로 가장 옳은 것은 어느 것입니까? ( )

① 달에는 햇빛이 없어서
② 달에는 태풍이 자주 발생해서
③ 달에는 운석이 많이 떨어져서
④ 달에는 물과 공기가 거의 없기 때문에
⑤ 달에는 바닷물 밖에 없기 때문에

신유형

08 다음 〈보기〉 중 달에 생물이 살기 위해 물과 공기가 필요한 이유에 대한 설명을 바르게 구분한 것은 어느 것입니까? ( )

보기
㉠ 생물의 몸에 많은 부분을 차지한다.
㉡ 생물이 숨을 쉴 수 있게 해 준다.
㉢ 우주에서 오는 해로운 광선을 막아준다.
㉣ 생명을 유지하는 데 필요한 화학 반응의 기본이 된다.
㉤ 표면의 온도를 유지시켜 준다.

	물이 필요한 이유	공기가 필요한 이유
①	㉠, ㉡	㉢, ㉣, ㉤
②	㉠, ㉢	㉡, ㉣, ㉤
③	㉠, ㉣	㉡, ㉢, ㉤
④	㉡, ㉢, ㉤	㉠, ㉣
⑤	㉢, ㉣, ㉤	㉠, ㉡

09 다음 중 지구를 보존하기 위해 실천할 수 있는 방법으로 옳지 않은 것은 어느 것입니까? ( )

① 양치질 할 때 컵을 이용한다.
② 세수할 때 물을 받아서 사용한다.
③ 재활용품을 분리배출한다.
④ 나무를 심는다.
⑤ 사용하지 않는 전자 제품의 콘센트를 계속 꽂아 둔다.

서술형으로 다지기

손에 잡히는 문제 해결

달의 모양 변화

▼

달을 눈으로 볼 수 있는 이유를 생각해 봅니다.

▼

달의 모습이 달라지는 것과 태양 빛의 관계를 생각해 봅니다.

01 다음 그림과 같이 달을 관찰하였을 때 달의 절반은 어둡고 절반은 밝게 보이는 이유를 적어보세요.

손에 잡히는 문제 해결

지구와 달의 차이점

▼

우주선에서 지구를 보았을 때 표면이 잘 보이지 않는 이유는 무엇인가요?

▼

우주선에서 볼 때 지구의 표면보다 달의 표면이 더 뚜렷하게 보이는 것은 어떤 차이 때문인가요?

02 우주선에서 지구를 보면 지구의 표면이 뚜렷하게 보이지 않지만 달은 지구와 다르게 표면의 모습을 뚜렷하게 관찰할 수 있습니다. 지구에 비해 달의 표면을 뚜렷하게 관찰할 수 있는 이유를 적어보세요.

03

지구와 달은 태양으로부터 비슷한 거리만큼 떨어져 있습니다. 그러나 지구의 평균 기온은 15 ℃로 생물이 살기에 알맞은 온도이지만, 달은 온도 변화가 매우 심하여, 낮에는 120 ℃, 밤에는 −150 ℃가 됩니다. 달의 온도 변화가 심한 이유를 적어보세요.

손에 잡히는 문제 해결

지구와 달의 차이점은 무엇인가요?

▼

낮에 온도가 높아지고, 밤에 온도가 낮아지는 이유는 무엇인가요?

▼

평균 온도를 높이는 데 영향을 주는 것은 무엇인가요?

04

국립기상연구소의 연구 결과에 의하면 지난 100년 동안 우리나라의 평균 기온은 약 1.5 ℃ 상승했다고 합니다. 지구 온난화란 온실 효과를 일으키는 온실 가스가 대기 중에 너무 많아져서 지구의 온도가 점점 올라가는 현상으로, 우리나라뿐만 아니라 전 지구적으로 진행되는 현상입니다. 지구 온난화의 진행 속도를 늦출 수 있는 방법을 3가지 이상 적어보세요.

손에 잡히는 문제 해결

지구의 기온이 높아지는 원인은 무엇인가요?

▼

지구의 기온을 높이는 물질은 어떻게 만들어지나요?

▼

지구의 기온을 높이는 물질을 줄일 수 있는 방법은 무엇인가요?

융합사고력 키우기

STEAM
- ✓ Science
  - ▶ 달
- Technology
- ✓ Engineering
  - ▶ 인공 생태계
- Art
- Mathmatics

또 다른 지구, 바이오스피어2

1991년 미국 애리조나주 투손 사막에서 먼 미래에 인류가 지구를 떠나 제2의 터전에서 살아갈 수 있는지 판단하기 위해 외부와 완전히 단절된 공간에서 인간이 다른 동식물과 살아갈 수 있는가에 대한 실험이 진행되었다.

바이오스피어2는 지구 자연 생태계와 완전히 격리되고 밀폐된 인공 생태계였다. 바이오스피어1은 지구를 의미한다. 바이오스피어2는 축구장 2개 정도의 크기인 약 4,000평의 공간에 만들어진 커다란 유리 건물이다. 바이오스피어2 안에는 사람이 먹고 자고 생활하는 사람 거주 구역, 농사를 짓는 농업 구역, 숲, 사막, 바다 등과 같은 자연 생태 구역으로 조성되었다. 이 독립된 거대한 공간 안에 150여 종의 농작물과 4,000여 종의 생물을 들여와 지구와 최대한 똑같이 만들려고 노력했다.

바이오스피어2 프로젝트를 기획할 때는 생물의 호흡과 식물의 광합성에 의해 공기의 조성이 유지될 수 있을 것으로 생각했지만, 콘크리트가 산소를 흡수하여 22톤의 산소가 사라졌다. 또한, 8명의 참가자에게 낮은 산소 농도, 부족한 영양, 단조로운 일과로 인한 환각 증세, 우울증, 정신 혼란과 같은 정서적 문제가 발생했다. 끝내 바이오스피어2 프로젝트는 실패했고 현재는 자연생태 박물관으로 사용하고 있다.

바이오스피어

▲ 바이오스피어2

▲ 바이오스피어2의 바다

1 사람이 살아가기 위해 호흡할 때 필요한 기체의 이름은 무엇인가요?

용어 풀이

- **호흡(내쉴 呼, 마실 吸)**
  숨을 쉼
- **광합성(빛 光, 모을 合, 이룰 成)**
  녹색식물이 빛에너지를 이용하여 이산화탄소와 물로 양분을 만드는 과정

2 위 지문에서 "생물의 호흡과 식물의 광합성에 의해 공기의 조성이 유지될 수 있을 것으로 생각했다"는 글이 있습니다. 생물의 호흡과 식물의 광합성에 의해 공기의 조성이 유지되는 원리를 적어보세요.

생물이 호흡할 때 들이마시고 내보내는 기체는 무엇인가요?

▼

식물이 광합성을 할 때 들이마시고 내보내는 기체는 무엇인가요?

▼

식물은 호흡량과 광합성량 중 어느 것이 더 많을까요?

논술형

3 4명의 남자와 4명의 여자가 외부와 완전히 단절된 독립된 생태계인 바이오스피어2에서 생활할 때 필요한 것을 세 가지 적고 이유를 적어보세요

사람이 숨을 쉬기 위해 필요한 것은 무엇인가요?

▼

사람이 영양소를 얻기 위해 필요한 것은 무엇인가요?

▼

사람이 살아가는 데 필요한 에너지의 근원은 무엇인가요?

탐구력 키우기

지구와 달의 모습

옛날 사람들은 지구가 평평하다고 생각해서 한 방향으로 계속 나아가면 낭떠러지로 떨어진다고 믿었다. 1519년 시작된 마젤란의 세계 일주가 성공하면서 사람들은 지구가 둥글다는 사실을 믿게 되었다. 지구와 달의 입체 사진을 관찰하여 보고 특징을 알아보자.

준비물

빨간색 셀로판지, 파란색 셀로판지, 가위, 테이프, 색종이, 이쑤시개, 셀로판테이프, 공, 마분지(또는 두꺼운 종이), 입체 안경본 부록(정답 및 해설 p.23), 달 입체 사진 부록(정답 및 해설 pp.19~21)

탐구 과정

실험 1 ① 입체 안경본을 마분지(또는 두꺼운 종이)에 풀로 붙이고 가위로 자른 후 연결하여 붙인다.
② 왼쪽에 빨간색 셀로판지를 오른쪽에 파란색 셀로판지를 각각 3~4겹씩 붙인다.
③ 입체 안경으로 여러 가지 달 입체 사진을 관찰한다.

실험 2 ④ 색종이와 이쑤시개로 배를 만든다.
⑤ 동그란 지구본이나 공 위에 종이배를 올려놓고 천천히 밀고 당기면서 종이배의 모습을 관찰한다.

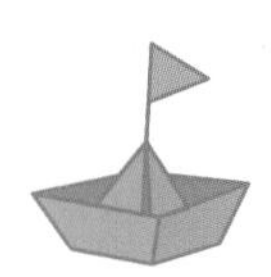

주의사항

- 빨간색 셀로판지와 파란색 셀로판지를 3겹 또는 4겹으로 겹쳐서 사진을 보고 달 사진이 가장 입체적으로 보이는 셀로판지의 두께를 찾는다.

정답 및 해설
18쪽

1 입체 안경으로 본 달의 표면을 특징을 적어보세요.

2 지구본이나 공 위에 종이배를 올려 놓고 천천히 밀고 당기면서 종이배를 관찰한 결과를 적어보세요.

- 종이배를 밀었을 때 :
- 종이배를 당겼을 때 :

3 밤하늘에 뜨는 달이 둥글다는 것은 모두 알고 있는 사실입니다. 그러나 지구가 둥글다는 것을 알게 된 것은 500년도 채 되지 않았습니다. 지구가 둥근 증거를 3가지 적어보세요.

①

②

③

STEAM

4 달과 지구는 비슷한 시기에 형성되었습니다. 지구에는 지구가 형성된지 10억 년 후부터 지금까지 수많은 생명체가 살고 있지만, 달에는 아직까지 생명체가 발견되지 않았습니다. 달에 생명체가 살지 못하는 이유를 적어보세요.

융합인재교육 STEAM 이란?

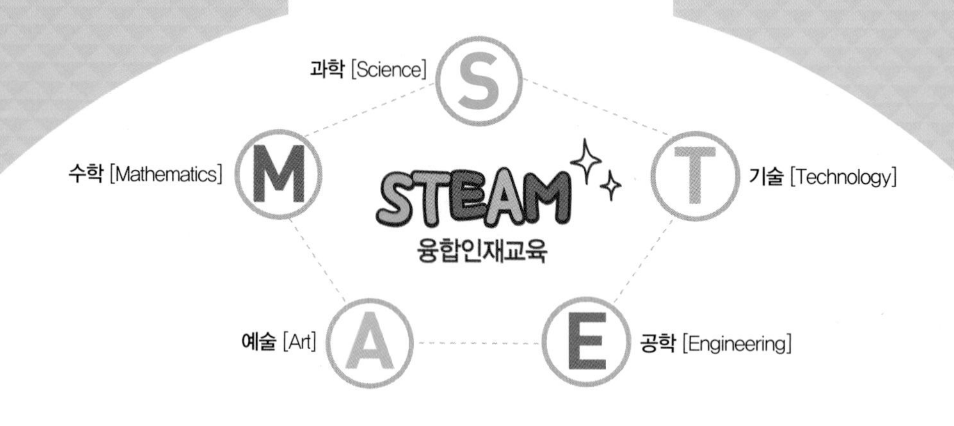

• 수학, 과학, 기술, 공학 간 상호 연계성 고려, 학문 간 공통 핵심 요소 중심으로 교육
• 예술적 소양을 함양하고 타 학문에 대한 이해가 깊은 미래형 인재 양성으로 교육

[자료 출처 : 한국과학창의재단]

융합인재교육은 과학기술공학과 관련된 다양한 분야의 융합적 지식, 과정, 본성에 대한 흥미와 이해를 높여 창의적이고 종합적으로 문제를 해결할 수 있는 융합적 소양(STEAM Literacy)을 갖춘 인재를 양성하는 교육이라고 정의하고 있다. 학습자가 실제 문제 상황을 다양하게 설계하고 해결하는 과정을 통해 새로운 개념을 생성하고, 창의적으로 설계하며, 더불어 사는 인성, 즉 사회적 감성을 발달하도록 하는 것이다.
이러한 융합인재교육(STEAM)의 목적은 다음과 같이 정리할 수 있다.

- 빠르게 변화하는 사회 변화의 적응력을 높이는 것이다.
- 개인의 창의인성, 지성과 감성의 균형 있는 발달을 돕는 것이다.
- 타인을 배려하고 협력하며, 소통하는 능력을 함양하는 것이다.
- 과학 효능감과 자신감, 과학에 대한 흥미 등을 증진시킴으로써 과학 학습에 대한 동기 유발을 높이는 것이다.
- 융합적 지식 및 과정의 중요성을 인식시키는 것이다.
- 학습자 중심의 수평적 융합적 교육으로 전환하는 것이다.
- 합리적이고 다양성을 인정하는 문화 형성에 기여하는 것이다.
- 대중의 과학화를 기반으로 한 합리적인 사회를 구성하는 데 기여하는 것이다.
- 창조적 협력 인재를 양성하는 것이다.
- 수학, 과학, 기술, 공학 간 상호 연계성 고려, 학문 간 공통 핵심 요소 중심으로 교육
- 예술적 소양을 함양하고 타 학문에 대한 이해가 깊은 미래형 인재 양성으로 교육

안쌤이 추천하는

영재교육원 대비 3,4학년 로드맵

개념+창의력

안쌤의 최상위 초등 줄기과학 시리즈 학기별 8강, 총 32강

STEP

문제해결력

안쌤의 창의적 문제해결력 시리즈 수학 8강, 과학 8강

실전테스트

안쌤의 창의적 문제해결력 시리즈 과학 50제, 수학 50제, 모의고사 4회

안쌤의

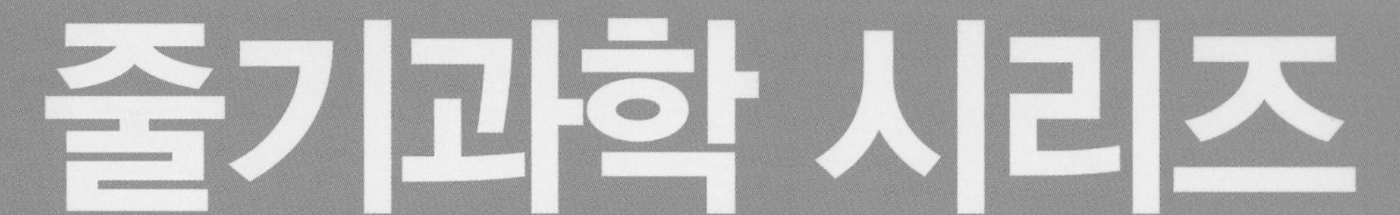

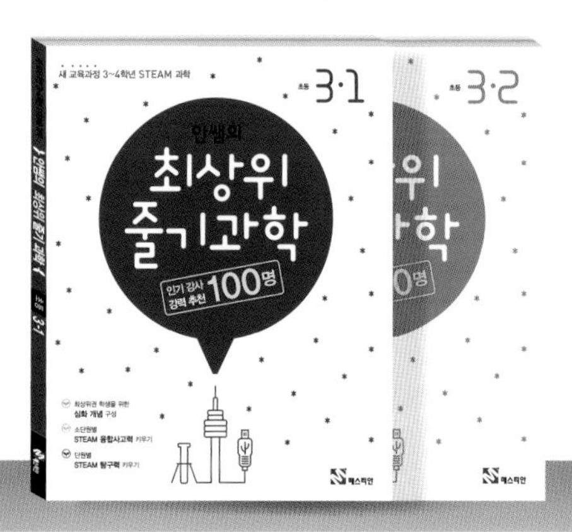

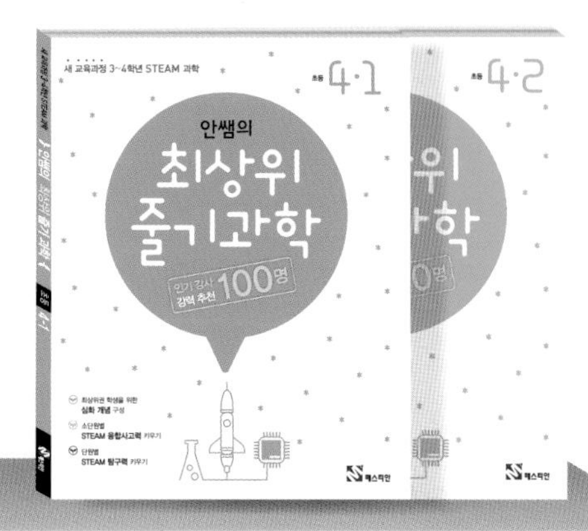

3-1 8강 3-2 8강 4-1 8강 4-2 8강

새 교육과정
5~6학년
학기별
STEAM 과학

5-1 8강 5-2 8강 6-1 8강 6-2 8강

새 교육과정
중등 영역별
STEAM 과학

물리학 24강 화학 16강 생명과학 16강 지구과학 16강 물리학 워크북 화학 워크북

새 교육과정 3~4학년 STEAM 과학
초등 3·1
안쌤의
최상위 초등과학
인기 강사 강력 추천 100명
정답 및 해설
최상위권 학생을 위한
심화 개념 구성
소단원별
STEAM 융합사고력 키우기
단원별
STEAM 탐구력 키우기
매스티안

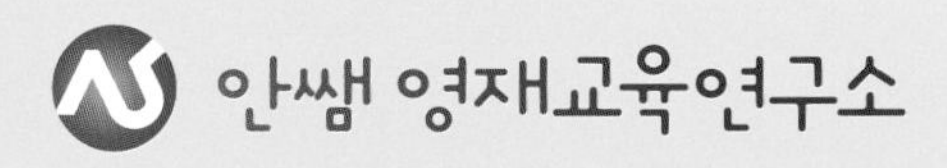

상위 1%가 되는 길로 안내하는 이정표로,
학생들이 꿈을 이루어갈 수 있도록 콘텐츠 개발과 강의 연구를 하고 있다.

인기 강사 100명 강력 추천

강도연, 강미라, 강옥주, 강은영, 강혜정, 고려욱, 곽미영, 김민정, 김보란, 김순정, 김연지, 김영준, 김은선, 김은희, 김정숙, 김정아, 김정애, 김종욱, 김주석, 김형진, 김효선, 노형섭, 문희정, 박노섭, 박선미, 박세언, 박애자, 박우용, 박윤하, 박정연, 박지은, 박진국, 박하나, 박헌진, 배정인, 배혜정, 백광열, 백지연, 변애나, 복주리, 서동진, 서유경, 서윤정, 소선영, 신규숙, 신상희, 신석화, 신현주, 안진희, 엄정연, 염경화, 오고운, 옥정화, 유나영, 유영란, 윤민혜, 윤소희, 윤순주, 이강윤, 이동림, 이미정, 이선영, 이연주, 이영주, 이영훈, 이윤정, 이은덕, 이지영, 이진경, 이혜림, 임선화, 장수진, 장윤희, 장치은, 전익찬, 전진홍, 정동훈, 정보혜, 정수일, 정영숙, 정재은, 정희현, 조영부, 조은실, 조정숙, 지다인, 차규상, 채진희, 최성덕, 최용덕, 최진영, 하영진, 한승철, 한정희, 한지연, 홍금자, 홍영주, 홍정연, 황병문, 황보혜정

정답 및 해설

정답 및 해설

I 물질의 성질

01 물체와 물질

개념 기르기 12~13쪽

01 ①	02 ⑤	03 ④	04 ⑤	05 ⑤
06 ③	07 ①, ⑤	08 ④	09 ①	10 ③
11 ④				

01 ㉠ 모양이 있고 공간을 차지하는 것을 물체라고 한다.
㉡ 가죽이나 섬유로 만들어진 야구 글러브나 인형은 단단하지 않지만 물체이다.
㉢ 옷, 책, 장난감, 책상 등은 물체이지만, 플라스틱, 유리, 나무, 고무 등은 물체를 만드는 재료로 물질이다.

02 ① 아령은 금속으로 만든다.
② 헬멧은 플라스틱으로 만든다.
③ 야구 방망이는 나무로 만든다.
④ 농구공은 가죽으로 만든다.
⑤ 운동복은 섬유로 만든다.
물질은 물체를 만드는 재료로, 고무, 나무, 플라스틱, 섬유, 금속 등을 말한다.

03 ④ 사람마다 자주 사용하고, 자주 사용하지 않는 물체가 서로 다르기 때문에 분류 기준이 될 수 없다. 색깔, 모양, 쓰임새, 이루고 있는 물질, 크기 등으로 물체를 분류할 수 있다.

04 비커, 유리컵, 창문, 어항, 유리병 등은 유리로 이루어진 물체이고, 모양 자는 플라스틱으로 이루어진 물체이다.

05 물체가 가지는 공통점, 성질 등을 기준으로 물체를 분류한다. 색종이, 지우개, 구슬, 주사위, 쇠고리 등은 한 가지 물질로 이루어진 물체이고, 연필, 집게, 가위, 노트, 볼펜 등은 두 가지 이상의 물질로 이루어진 물체이다.

06 물질이 가지는 성질은 단단한 정도, 색깔, 냄새, 맛, 구부러지는 정도, 만졌을 때의 느낌, 물에 뜨는 정도 등이 있다. 가격은 그 물질이 갖는 성질로 보기 어렵다.

07 철>플라스틱>나무>고무 순으로 단단하며, 서로 긁었을 때 긁히지 않는 것이 더 단단한 물질이다.

08 나무와 플라스틱은 물에 뜨고, 고무와 철은 물에 가라앉는다.

09 고무>플라스틱>나무>철 순으로 잘 구부러진다.

10 ① 철−쉽게 구부러지지 않고 매우 단단하다.
② 유리−투명하여 속이 잘 보인다.
③ 고무−유연하고 질기다.
④ 나무−어느 정도 단단하고 가벼우며 무늬와 향이 있다.
⑤ 플라스틱−가볍고 튼튼하다.

11 ① 색종이−종이
② 못−금속
③ 옷−가죽
④ 책상−나무
⑤ 고무장갑−고무

서술형으로 다지기 14~15쪽

01 모범답안
• 단단하고 가볍다.
• 다양한 모양으로 만들기 쉽다.
해설 플라스틱은 가볍고 튼튼하며 어떠한 색깔이든 만들어 낼 수 있으며, 어느 정도 열만 가하면 어떤 형태든 만들어 낸다.

02 모범답안 나무는 물에 뜨기 때문이다.
해설 인류가 제일 처음에 사용한 배는 통나무와 갈대배였다. 생나무보다 가벼운 마른 통나무가 물에 잘 뜬다는 것을 발견하고 처음에는 주로 호수나 좁은 강을 건너기 위해 한 팔로 통나무를 안고 다른 팔로 물을 저었던 것으로 보고 있다. 구석기시대 중엽에 와서는 인간의 지혜가 발달하면서 통나무 가운데를 파서 배를 만들거나 가는 나무토막 여러 개나 갈대를 엮어 만든 작은 뗏목을 사용하여 강이나 호수를 건넌 것으로 본다.

03 모범답안 전선의 피복은 고무로 이루어져 있다. 전선의 피복은 잘 구부러져야 하고 전기가 통하지 않아야 하기 때문에

유연하고 전기가 통하지 않는(부도체) 고무를 사용한다.

해설 전기를 잘 통하는 물질을 도체라고 하고 전기가 통하지 않는 물질을 부도체라고 한다. 전선에 사용하는 금속은 도체이기 때문에 전기를 잘 흐르게 하지만, 피복에 감싸지 않으면 만졌을 때 감전이 일어날 수 있기 때문에 부도체로 감싸준다. 전선은 잘 구부러져야 하기 때문에 부도체 중에 가장 유연한 고무를 사용하여 만든다.

04 모범답안 지구에서 발사될 때는 안테나를 접어서 부피를 작게 할 수 있기 때문에 저항을 작게 받고, 우주에 나가서는 원래의 모양으로 펼쳐져서 원래의 안테나 역할을 할 수 있어서 좋다.

해설 합금은 금속에 다른 물질을 한 가지 이상 첨가하여 만든 것으로 금속의 성질을 갖는다. 형상 기억 합금(shape memory alloy)이란 다른 모양으로 변형시키더라도 특정 온도가 되면 다시 변형 전의 모양으로 되돌아오는 성질을 가진 합금을 말한다. 예를 들면 곧게 뻗은 형상 기억 합금의 막대를 코일 모양으로 구부려 놓은 후 얼마 있다가 더운물에 넣으면, 마치 이전의 모양을 기억하고 있었던 것처럼 똑바로 펴진다. 이 합금의 다른 특징은 강한 복원력이다. 원래의 모양으로 돌아갈 때, 변형에 소요된 힘의 5배 가량의 힘을 낸다. 형상 기억 효과는 한번 원래의 모양으로 돌아가면 그만인 것과, 처음에 변형시켜 두면 온도 차에 의해서 몇 번이라도 복원되는 효과를 나타내는 것 두 종류가 있다. 현재 실용화되고 있는 것은 앞의 것뿐이다. 형상 기억 합금은 전투기, 인공위성의 안테나, 안경테, 여성용 속옷에 들어가는 와이어 등에 사용된다.

융합사고력 키우기 16~17쪽

01 모범답안 쿠션 신발

해설 맥시멀 신발은 쿠션을 강화시켜 편안하고, 달리기를 할 때 피로를 줄여준다는 점이 특징인 쿠션 신발이다.

02 모범답안 달리기를 할 때 발생할 수 있는 무릎 부상 및 정강이 통증을 막는 효과가 크지 않다.

해설 달리기를 할 때 발생할 수 있는 무릎 부상 및 정강이 통증을 막는다는 맨발 신발의 효과가 과장된 것으로 드러났다. 월스트릿 저널에 따르면 미국의 매사추세츠 법원은 자사 제품이 근육을 강화하고 부상을 방지한다는 비브람의 홍보가 허위라는 집단 소송에 대해 소비자들의 손을 들어주었다. 비브람에게 총 375만 달러의 금액을 적립하도록 판결하고, 개별적 소비자 피해 보상에 대비토록 했다. 소비자 보상과 함께 비브람은 입증되지 않은 맨발 신발의 건강효과에 대한 광고를 모두 중단해야 했다. 이런 분위기 속에서 맨발 신발의 매출도 크게 하락하였다.

03 예시답안 아치형 발이 후천적인 평발로 되면 건강에 좋지 않으므로, 아치형 발을 유지하면서 발이 편하도록 쿠션을 넣은 신발을 만든다.

해설 발의 아치형 구조는 땅에 발을 디딜 때의 충격을 완충시키고 직립의 균형을 유지시켜준다. 이러한 아치는 직립보행을 하는 사람의 발뼈가 최적의 구조로 진화된 형태인 것이다. 하지만 현대인은 콘크리트의 딱딱한 바닥 위에서, 구두와 같은 불편한 신발을 신고 장시간 동안 걸으면서 아치 기능의 불안정을 초래하고 있다. 현대인은 평생동안 약 30만 km(지구 4바퀴 이상)를 걷는다. 1 km를 걸을 때마다 발에 가해지는 압력은 무려 16톤에 이른다고 한다. 발아치의 문제는 이제 선천적으로 발이 불편한 사람 뿐만 아니라 정상이라고 생각했던 누구에게나 해당하는 문제가 되었다.

발 건강에 도움이 되는 기술적인 아이디어가 포함된 신발을 고안하여 설명하면 좋은 점수를 받을 수 있다.

02 물질의 성질 이용

개념 기르기 22~23쪽

01 ③ 02 ②, ③ 03 ① 04 ①, ③ 05 ②
06 ①, ② 07 ④ 08 ⑤ 09 ③

01 ① 책상-나무는 단단하고 가벼우며, 고유한 무늬가 있고 가공하기 쉽다.
② 필통-플라스틱은 단단하고 가벼우며, 다양한 모양으로 만들기 쉽다.
④ 망치-철은 단단하다.
⑤ 장갑-가죽은 부드러우면서 질기다.

정답 및 해설

02 ① 유리는 투명하므로 컵, 그릇, 창문을 만든다.
④ 나무는 단단하고 가벼우므로 책상이나 의자를 만든다.
⑤ 고무는 유연하고 질기므로 고무줄이나 고무장갑을 만든다.

03 ② 유리 컵－그릇에 무엇이 들어 있는지 한눈에 알 수 있으나 잘 깨진다.
③ 종이컵－싸고 가벼워 손쉽게 사용할 수 있지만 여러 번 사용하기 어렵다.
④ 금속 컵－튼튼하고 떨어뜨려도 깨지지 않는다.
⑤ 플라스틱 컵－예쁘고 가벼우면서 잘 깨지지 않는다.

04 ② 유리 컵－그릇에 무엇이 들어 있는지 한눈에 알 수 있으나 잘 깨진다.
④ 도자기 컵－열에 강해 음료를 오랫동안 따뜻하게 보관할 수 있다.
⑤ 플라스틱 컵－예쁘고 가벼우면서 잘 깨지지 않는다.

05 ① ㉠은 가볍고 휴대하기 쉽다.
③, ④ ㉢은 가볍고 질기며 저렴하다.
⑤ ㉣은 가볍고 부드럽다.

06 ③ 바퀴살은 몸체와 같은 튼튼하고 충격에 잘 부서지지 않는 금속으로 만든다.
④ 타이어는 충격을 덜 받는 고무로 만든다.
⑤ 손잡이는 미끄러지지 않고 손에 잘 잡히는 고무나 플라스틱으로 만든다.

07 고무는 바닥에 잘 달라붙으므로 작은 먼지도 쓸어 담기 좋다.

08 따뜻한 물에 붕사와 폴리비닐 알코올을 넣고 저으면 하얀색 말랑말랑한 덩어리가 생긴다.

09 탱탱볼은 하얀색이고 말랑말랑하며, 바닥에 놓으면 튀어오른다.

서술형으로 다지기 24~25쪽

01 모범답안
- 몸체－금속 : 쉽게 휘어지거나 부러지지 않아야 하므로 단단한 금속으로 만든다.
- 의자－가죽 : 질기고, 부드러우며, 겨울에 차갑지 않다.
- 바퀴－고무 : 고무는 유연하고 질기기 때문에 충격을 잘 흡수하여 승차감이 좋다.

해설 자전거의 바퀴에 사용되는 타이어는 도로를 달릴 때 충격을 잘 흡수해야 하기 때문에 고무를 사용한다. 고무는 자동차 바퀴, 고무장갑, 고무줄, 고무호스 등의 물체를 만들 때 사용한다.

02 예시답안
- 우산은 종이, 비닐, 천 등으로 만든다.
- 옷은 면, 나일론, 폴리에스테르, 가죽 등으로 만든다.
- 컵은 유리, 철, 플라스틱 등으로 만든다.

해설 의자, 그릇, 모자, 가방 등은 다양한 물질로 만들어 쓰임새에 따라 사용한다. 물질의 종류에 따라 좋은 점이 다르므로 쓰임새에 맞게 사용하기 위해서이다.

03 모범답안
- 부드럽다.
- 부딪혀도 다칠 염려가 적다.
- 푹신하다.

해설 돌은 단단하여 잘 부서지지 않고 물에 젖지 않으므로 실외에서 사용하는 의자를 만들 때 사용하고, 실내에서는 부드럽고 푹신한 가죽이나 섬유로 의자를 만든다.

04 모범답안
- 흙－냉장고를 버리면 흙으로 되돌아가기 때문에 환경 오염이 적을 것이다.
- 유리－문을 열지 않고도 냉장고 안을 볼 수 있기 때문에 문을 적게 열어 전기료가 절약될 것이다.
- 고무－아기가 뛰어가다가 냉장고에 부딪쳐도 다치지 않을 것이다.
- 플라스틱－가볍고 모양을 자유자재로 만들 수 있을 것이다.

해설 냉장고를 흙으로 만들면 쉽게 부서질 수 있어서 사용하기 어려울 것이고, 유리로 만들면 쉽게 깨질 수 있어서 사용하기 불편할 것이다. 고무와 플라스틱은 내구성이 좋지 않아 냉장고를 오래 사용하기 어려울 것이다.

융합사고력 키우기 26~27쪽

01 모범답안 냉방 성능

해설 기본 방탄조끼는 냉방 성능이 좋지 않아 날이 더워지면 착용자가 땀에 젖을 수 있기 때문에 냉방 성능을 획기적으로 높인 스마트 방탄조끼가 개발되었다.

02 모범답안 섬유에 액체인 물 알갱이보다는 작고 기체인 수증기 알갱이보다는 큰 구멍이 무수히 많이 뚫려있다.

해설 액체인 물 알갱이는 기체인 수증기 알갱이보다 크므로 섬유의 구멍이 물보다 작으면 비와 같은 물은 들이치지 않는다. 섬유의 구멍이 수증기보다 크면 수증기 형태의 땀과 열기는 밖으로 내보낼 수 있다.

03 모범답안 기존 방탄조끼를 입으면 땀으로 인해 줄어든 체중이 스마트 방탄조끼 보다 더 많다. 그만큼 스마트 방탄조끼는 신체에 부담이 적다는 의미이므로, 우수한 성능을 입증할 수 있다.

해설 국립소재연구소의 기온조절실에 런닝머신을 설치하고 방 안의 온도를 높인 후 수 킬로미터를 날리게 했다. 그 결과 기존 방탄조끼를 입은 사람은 땀으로 인해 체중이 735g이 줄어들었지만 스마트 방탄조끼를 입은 사람은 그보다 191 g이나 적은 544 g만 감량되었다. 그만큼 신체에 부담이 적다는 의미다. 실험에 참가한 경찰 대원들도 만족감을 표시했다.

탐구력 기르기 28~29쪽

01 모범답안 고무줄이 풀리면서 프로펠러가 돌아가고, 배가 앞으로 나아간다.

02 모범답안

- 프로펠러를 더 많이 감는다.
- 고무줄을 여러 개 사용한다.
- 두꺼운 고무줄을 사용한다.
- 배를 가볍게 만든다.

해설 고무줄의 힘이 강해지면 배가 멀리 나아간다.

03 모범답안 실은 고무줄처럼 늘어나지 않고, 늘어났다가 다시 원래의 모습으로 돌아오는 성질이 없기 때문이다.

해설 프로펠러를 감으면 고무줄이 늘어나면서 감겼다가, 손을 놓으면 고무줄이 풀리면서 원래의 모양으로 돌아가려고 한다. 이 힘을 이용하여 프로펠러 배가 앞으로 나아간다.

04 모범답안 평평한 철 막대는 물에 가라앉지만, 그릇 모양으로 만들면 물에 잘 뜬다. 그릇 모양처럼 물체 안에 가벼운 공기가 많이 차 있으면 물이 밀어올리는 힘(부력)을 많이 받을 수 있어 물에 잘 뜬다.

해설 물에 가라앉는 물질은 무겁고 무게에 비해 부피가 작다. 그러나 물에 뜨는 물질은 가볍고, 무게에 비해 부피가 크다. 스마트폰으로 QR코드를 찍어 부력에 관한 참고 동영상을 본다.

정답 및 해설

Ⅱ 동물의 한살이

03 배추흰나비의 한살이

개념 기르기 36~37쪽

01 ④ 02 ④ 03 ④ 04 ⑤ 05 ③
06 ② 07 ②, ⑤ 08 ④ 09 ⑤ 10 ②, ③
11 ②, ④ 12 ③

01 배추흰나비 알을 볼 수 있는 곳은 애벌레의 먹이가 되는 식물이다. 배추, 무, 양배추, 케일, 갓, 유채, 냉이 등에서 배추흰나비의 알을 볼 수 있다.

02 ③ 애벌레가 허물을 벗거나 번데기가 나비로 될 때 충격을 주면 죽거나 몸의 모양이 이상해질 수 있다.
④ 사육 상자 주변에서는 향수나 모기약을 사용하지 않도록 한다.

03 ㉠ 배추흰나비는 애벌레에서 성충이 나오는 것이 아니라 번데기에서 성충이 나온다. 이밖에도 알이나 애벌레의 색깔, 입, 더듬이, 날개 등의 생김새, 자라면서 변하는 몸의 크기, 애벌레, 번데기, 나비의 움직임 등을 볼 수 있다.

04 ① 표면에 줄무늬가 있다.
② 옥수수처럼 보인다.
③ 털이 빽빽하게 나 있는 것은 애벌레의 생김새이다.
④ 배추흰나비의 알의 크기는 1 mm 정도로 매우 작다.

05 배추흰나비 애벌레가 먹이인 배추 잎 등의 색깔과 비슷해지면 천적의 눈에 잘 띄지 않기 때문에 자신의 몸을 지킬 수 있다.

06 ① 몸에 부드러운 털이 빽빽하게 나 있고, 몸통에 고리 모양의 마디가 있다.
③ 몸은 머리, 가슴, 배 세 부분으로 구분된다.
④ 허물을 벗기 전에는 먹는 것을 중단하고 오랫동안 한 곳에서 움직이지 않는다.
⑤ 알에서 갓 나왔을 때는 노란색이지만, 잎을 먹기 시작하면 초록색으로 변한다.

07 애벌레가 번데기로 변하기 전에, 몸의 색깔이 맑아지고 먹는 것을 멈추고 안전한 곳을 찾아 기어다닌다.

08 배추흰나비 애벌레가 번데기로 변하는 과정 : 입에서 실을 내어 몸을 묶는다. → 움직이지 않는다. → 머리부터 껍질이 갈라지면 허물을 벗는다. → 몸을 비틀어 벗은 허물을 떨어뜨린다. → 번데기의 모습이 된다. → 색깔이 변한다. → 시간이 지나면 나비의 모습이 보인다.

09 ①, ③ 번데기는 자라지 않으며 크기가 약 25 mm 정도이다.
② 움직이지 않는다.
④ 몸의 색이 주변의 색과 비슷하다.
⑤ 번데기는 머리, 가슴, 배로 구분되지만 뚜렷하지 않다.

10 ① 허물을 벗으며 점점 크게 자라는 것은 애벌레의 크기 변화이다.
④ 번데기는 한 곳에 붙어 있으며 움직이지 않는다.
⑤ 번데기는 초록색, 갈색 등 주변의 색과 비슷하다.

11 ② 장수풍뎅이는 번데기 단계가 있고, 사마귀, 잠자리는 번데기 단계가 없다.
④ 장수풍뎅이 애벌레는 나무 속, 사마귀 애벌레는 식물 위, 잠자리 애벌레는 물속에서 자란다.

12 완전 탈바꿈은 '알 → 애벌레 → 번데기 → 성충'의 한살이를 거치는 것으로 나비, 파리, 모기, 풍뎅이, 무당벌레, 사슴벌레 등이 있다. 매미는 불완전 탈바꿈(알 → 애벌레 → 성충의 한살이를 거치는 것)을 하며 노린재, 메뚜기, 사마귀, 잠자리 등이 있다.

서술형으로 다지기 38~39쪽

01 모범답안
• 부족한 영양분을 보충한다.
• 자신의 흔적을 없애 적으로부터 자신을 보호하기 위해서이다.

해설 껍질은 단백질이 풍부하기 때문에 알에서 나온 애벌레는 자신의 알 껍질을 먹어 부족한 영양분을 보충한다. 또한 적으로부터 자신을 보호하려고 알 껍질을 갉아 먹어 흔적을

없앤다.

02 모범답안
- 곤충은 다리가 세 쌍이지만 거미는 다리를 네 쌍 가지고 있다.
- 곤충은 머리, 가슴, 배로 구분되지만 거미는 몸통이 머리가슴 부위와 배 두 부분으로 나눠지기 때문이다.

해설 곤충은 머리, 가슴, 배로 뚜렷이 구분되며, 날개 두 쌍, 더듬이 한 쌍, 다리 세 쌍이 있어야 한다. 거미는 머리가슴, 배 두 부분으로 구분되며, 날개가 없고, 다리는 네 쌍이다. 거미를 자세히 관찰해 보면 머리와 가슴 부위가 뚜렷하게 구분되지 않기 때문에 곤충으로 분류되지 않는다.

03 모범답안 애벌레의 표피는 키틴질로 되어 있는데 이것은 신축성이 없어 몸이 자라는 데 방해가 된다. 따라서 여러 차례 탈피를 거쳐야 몸이 성장할 수 있기 때문이다.

해설 애벌레는 성장 과정에서 형태적으로 변화를 겪는데 이를 탈바꿈이라고 한다. 곤충의 탈바꿈은 완전 탈바꿈과 불완전 탈바꿈으로 구분된다. 완전 탈바꿈을 하는 곤충의 애벌레들은 성충과 그 형태가 전혀 다르다. 완전 탈바꿈하는 곤충은 초파리, 호랑나비, 반딧불이, 벌, 개미 등이 있고, 불완전 탈바꿈하는 곤충은 잠자리, 매미, 나방, 사마귀, 메뚜기 등이 있다.

04 모범답안
- 한살이 과정에 따라 변화하는 모습을 관찰한다.
- 알에서 애벌레가 나오는 모습을 관찰한다.
- 먹이를 먹고 똥을 누는 모습을 관찰한다.
- 허물을 벗으며 자라는 모습을 관찰한다.
- 번데기로 변하는 모습을 관찰한다.
- 나비가 되어 나오는 모습과 나는 모습을 관찰한다.
- 짝짓기를 하고 알을 낳는 모습을 관찰한다.

해설 방충망을 씌우는 이유는 천적의 침입을 막고 나비가 되었을 때 날아가는 것을 막기 위해서이다.

융합사고력 키우기 40~41쪽

01 모범답안 알 → 애벌레(장구벌레) → 번데기 → 성충(모기)

해설 모기는 나비와 같이 번데기 과정을 거치는 완전 탈바꿈을 하는 곤충이다.

02 모범답안 모기는 알로 겨울을 나고 따뜻해지면 물에서 애벌레(장구벌레)로 지내다가 더위가 찾아오면 성충으로 활동한다.

해설 따뜻한 열대지방의 모기는 짧은 알, 애벌레, 번데기 시기를 거치고 대부분의 시간을 성충으로 보낸다. 반면 산악지방과 온대·한대의 모기는 겨울을 알로 지내며, 눈이 녹은 물에서 애벌레로 지내다가 한여름에 성충으로 나타난다. 모기는 14 ℃에서 41 ℃ 사이에서만 활동이 활발하다.

03 모범답안 모기는 주로 하수구나 연못과 같은 고인 물에 알을 낳고 애벌레인 장구벌레는 물속에서 성장하여 번데기 과정을 거쳐 성충이 되는데, 계속된 폭염과 가뭄으로 물웅덩이와 같이 고인물인 모기의 산란 장소가 메말랐기 때문이다.

해설 폭염과 모기의 발생밀도에 대한 상관관계가 확실한 것은 아니지만, 현재로서는 폭염이 모기의 발생밀도와 활동력을 억제하는데 관련성이 있는 것으로 분석된다. 그래서 모기의 산란장소가 메마르고, 성충의 생존율도 낮아져 폭염에 의해 모기의 발생 수가 줄어들었다.

04 여러 가지 동물의 한살이

개념 기르기 46~47쪽

01 ②, ③	02 ⑤	03 ③, ⑤	04 ①	05 ③
06 ①	07 ③	08 ⑤	09 ④	10 ④
11 ③				

01 암수의 몸의 크기, 모양, 색깔, 무늬 등이 비슷하여 차이가 없는 경우 암수 구별이 어렵고, 뚜렷하게 구별될수록 암수 구별이 쉬운 동물이다.

02 암수가 함께 알이나 새끼를 돌보는 동물은 제비, 꾀꼬리, 황제펭귄 등이 있다. 수컷이 홀로 알을 돌보는 동물은 가시고기, 물자라, 꺽지, 물장군 등이 있고, 암컷이 홀로 새끼를 돌보는 동물은 곰, 소, 산양, 바다코끼리 등이다. 알을 낳은 뒤 돌보지 않는 동물은 바다거북, 자라, 노린재, 개구리 등이 있다.

정답 및 해설

03 ① 갓 태어난 강아지는 이빨이 없어 씹지 못한다. 이빨이 있는 것은 다 자란 개이다.
② 갓 태어난 강아지는 다리에 힘이 없어 일어설 수 없다. 걷거나 달릴 수 있는 것은 다 자란 개이다.
④ 갓 태어난 강아지는 어미 젖을 먹는다. 밥, 고기, 사료 등을 먹는 것은 다 자란 개이다.

04 붕어는 물에 알을 낳는 동물이다. 새끼를 낳는 동물은 고양이, 소, 다람쥐, 쥐, 토끼, 코끼리, 기린, 사자, 표범 등이 있다.

05 ① 몸이 털과 가죽으로 덮여 있다.
② 자라면서 허물을 벗는 것은 대체로 알을 낳는 곤충이나 갑각류에서 볼 수 있다.
④ 어미와 비슷한 생김새의 새끼가 태어난다.
⑤ 태어나서 다 자랄 때까지 부모의 보살핌을 받는다.

06 ② 병아리는 몸이 솜털로 덮여 있다.
③ 어린 닭은 솜털이 깃털로 바뀐다.
④ 다 자란 닭은 암수 구별이 쉬운 동물이다.
⑤ 어미 닭이 알을 품은 지 21일이 지나면 병아리는 부리로 알을 깨고 나온다.

07 ㉠ 수탉은 볏이 크고 화려하지만 암탉은 볏이 수탉에 비해 작다.
㉡ 수탉은 꽁지깃이 길고 휘어지고, 암탉은 꽁지깃이 짧고 휘어지지 않는다.

08 하루살이는 물에 알을 낳는 동물이며, 땅에 알을 낳는 동물에는 나비, 파리, 비둘기, 타조, 광대노린재, 땅강아지, 거북 등이 있다.

09 개구리 알은 여러 개가 뭉쳐서 덩어리를 이루고 있으며, 우무질 속의 알은 위쪽이 검고, 아래쪽은 하얀색이다.

10 ① 개구리는 물속과 땅 위에서 생활한다.
② 올챙이는 아가미로 호흡한다.
③ 개구리는 허파와 피부로 숨을 쉰다.
⑤ 올챙이는 물속의 플랑크톤이나 죽은 동물을 먹는다.

11 알에서 올챙이가 나오고, 뒷다리가 나온 뒤에 앞다리가 나오고 꼬리가 짧아지면서 없어진다. 허파로 숨을 쉬게 되면서 개구리가 된다.

서술형으로 다지기 48~49쪽

01 모범답안
- 상어는 아가미로 숨을 쉬고, 돌고래는 폐로 숨을 쉰다.
- 상어는 어류이고, 돌고래는 포유류이다.
- 상어는 알을 낳고, 돌고래는 새끼를 낳는다.

해설 상어와 돌고래의 모습은 비슷하지만 상어는 알을 낳고 아가미로 숨을 쉬는 어류이고, 돌고래는 새끼를 낳고 폐로 숨을 쉬는 포유류이다.

02 모범답안 달걀의 껍데기에 있는 숨(호흡) 구멍이 막혀 숨을 쉴 수 없기 때문에 병아리가 나오지 않는다.
해설 달걀 껍데기에는 산소와 이산화 탄소를 교환할 수 있는 미세한 구멍이 있다. 알은 부화 과정 중에 이 미세한 구멍을 통해 숨을 쉬게 되는데 달걀 껍데기에 니스를 칠하게 되면 이 미세한 구멍이 막히게 된다. 구멍이 막혀 숨을 쉴 수 없게 되면, 알 속에 있는 세포가 죽게 되어 부화되지 않고 썩는다.

03 모범답안
- 흐르는 물에 대한 저항을 줄여준다.
- 외부에서 가해지는 충격을 줄여준다.
- 물고기나 다른 적들로부터 보호 받을 수 있다.

해설 개구리는 얕은 웅덩이나 논에 알을 낳는데 딱딱한 껍데기가 아닌 우무질에 싸여 있기 때문에 물에 대한 저항을 줄여준다. 또한 물살이나 다른 외부 충격을 줄여주며, 모여 있기 때문에 물이 흐를 때 떠내려가지 않고 한곳에 머무를 수 있다.

04 모범답안
- 지느러미가 없어지고 다리가 생기거나 뱀처럼 기어다닐 것이다.
- 아가미가 없어지고 폐와 같은 호흡 기관이 생길 것이다.
- 체외 수정에서 다른 수정 방식으로 바뀔 것이다.
- 부레와 옆줄의 기능이 없어질 것이다.

해설 물고기는 물속에서 호흡하기 위해 아가미가 있고, 헤엄치기 위한 지느러미, 유선형 구조, 부레를 통해 물속에서 뜨

고 가라앉는다. 또한 물의 움직임 변화를 감지하는 옆줄이 있다. 하지만 이런 모든 기능이 육지에서는 불필요하기 때문에 많은 변화가 있어야 한다. 또한 물고기의 수정 방식인 체외 수정은 물속에서만 가능하기 때문에 육지로 올라올 경우 그 방식도 달라져야 한다.

융합사고력 키우기 50~51쪽

01 모범답안 피기백

해설 바이러스를 이용하지 않은 비바이러스 형질전환 방법인 피기백 트랜스포존(piggyBac transposon)을 이용한 효율적인 형질전환 닭 생산 방법을 확립하였다. 본 연구진이 체외 배양을 통해 확립한 닭 원시생식세포(primordial germ cells)는 수용체 개체에서 정상적으로 분열, 분화하여 90% 이상 다음 세대로의 전이가 가능하며, 이러한 원시생식세포에 피기백 트랜스포존을 이용하여 유전자 전이를 하였을 경우 매우 효율적으로 형질전환 개체 생산에 성공하였다.

02 모범답안 다음 세대에서도 각 형질이 그대로 나타났다는 것은 매 세대마다 형질전환을 시켜줄 필요가 없고, 새로운 형질전환 닭으로 생산이 가능하다는 의미이다.

해설 형광빛 형질전환 닭은 인체에 유용한 물질을 닭을 통해 생산할 수 있는가를 보기 위해 시도되는 것으로 녹색형광 유전자(GFP)를 유정란(병아리가 생산될 수 있는 알)에 주입한 뒤 부화시키는 방식으로 이루어진다.

닭 등 가금류는 수정란에 유전자를 주입하기 어렵고 갓 산란된 달걀에도 일반적인 유전자 전이가 쉽지 않아 포유류에 비해 형질전환 성공률이 매우 낮았다.

03 모범답안

- 달걀의 단점을 보완한 콜레스테롤을 낮춘 달걀이나 바이타민을 높인 달걀처럼 기능성 달걀을 생산한다.
- 인체에 유용한 단백질이 포함된 달걀을 생산한다.

해설 사람에게 유용한 아이디어로 과학적으로 이상이 없다면 좋은 점수를 받을 수 있다.

탐구력 기르기 52~53쪽

01 모범답안 페트병 안에 초파리가 모인다.

해설 초파리가 먹이를 먹으러 페트병 안에 들어왔다가 나가지 못하고 갇힌다. 초파리는 수직으로 움직이지 못하고 원을 그리며 움직이기 때문에 입구가 좁은 곳으로 나가지 못한다.

02 모범답안

- 크기가 매우 작다.
- 눈이 빨갛다.
- 가슴에 다리 3쌍과 날개 2쌍이 있다.
- 머리에 더듬이 1쌍이 있다.
- 몸이 머리, 가슴, 배, 세 부분으로 나뉘어져 있다.

해설 수컷은 크기가 작고, 첫번째 다리에 중간 부분에 검은 점처럼 보이는 성즐(검고 굵은 털)이 있으며, 배의 뒷부분이 검고 둥글다. 암컷은 크기가 크고, 배 끝부분이 뾰족하며 산란관이 있다.

▲수컷

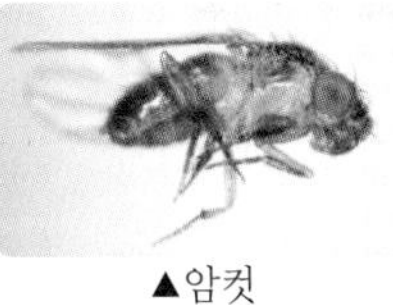

▲암컷

03 모범답안

① 알 : 너무 작아서 관찰하기 힘들다.

② 애벌레 : 마디가 늘어났다 줄어들었다 하면서 움직인다. 먹이가 있는 곳 주위에서 기어다닌다. 허물을 벗을 때마다 크기가 점점 커진다. 페트병 벽면을 타고 올라간다.

③ 번데기 : 색깔이 검게 변한다. 물기가 없는 곳에 있으며 움직이지 않는다. 먹이를 먹지 않는다.

④ 초파리 : 눈, 다리, 날개, 더듬이가 생기고 날아다닌다.

해설

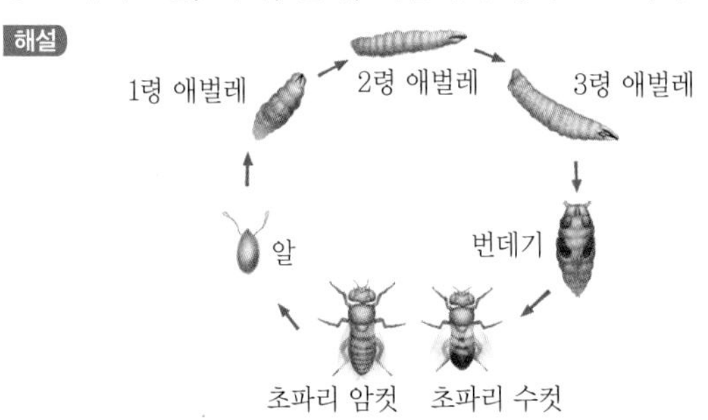

초파리 알의 크기는 1 mm 미만이며, 실처럼 생긴 것 2개가 알에서 돌출되어 있다. 초파리 애벌레는 주로 먹이가 있는 병의 아래쪽에 위치한다. 큰 애벌레는 병의 위쪽으로 올라와 움직이지 않고, 색이 점점 검게 변하면서 번데기가 된다. 번데기에서 초파리가 나온다. 초파리가 알에서 성충이 되기까지 걸리는 시간은 온도에 따라 다르다. 보통 20 ℃에서는 알에서 애벌레로 되기까지 8일, 번데기로 7일 정도 있게 되므로 약 15일이 걸린다. 25 ℃에서는 그보다 시간이 짧게 걸린다.

04 모범답안 알의 생존율이 다르기 때문이다. 생존율이 낮을수록 알을 많이 낳는다.

해설 초파리나 배추흰나비의 알은 부모의 도움을 받지 않으므로 생존률이 낮아, 많은 수의 알을 낳는다. 반면 달걀은 생존률이 높아서 적은 수의 알을 낳는다.

Ⅲ 자석의 이용

05 자석과 물체

개념 기르기 60~61쪽

01 ② 02 ② 03 ① 04 ③ 05 ③
06 ④, ⑤ 07 ⑤ 08 ④ 09 ①, ⑤ 10 ④

01 자석은 둥근 모양, 네모 모양, 막대 모양, 고리 모양, U자 모양, 봉 모양 등 다양한 모양을 하고 있으며, 쓰임새에 따라 색깔, 크기도 다양하다.

02 ④ 플라스틱, 유리, 나무 등으로 만들어진 물체는 자석에 붙지 않는다.
⑤ 자석에 붙는 금속은 철, 니켈, 코발트로 만들어진 물체만 붙는다. 알루미늄, 구리, 금 등의 금속으로 만든 물체는 자석에 붙지 않는다.

03 자석에 붙는 물체는 철로 된 쇠못과 클립이고, 동전, 유리컵, 알루미늄 캔, 지우개, 연필, 풍선은 자석에 붙지 않는다.

04 자석과 클립 사이에는 서로 끌어당기는 힘이 작용하기 때문에 클립이 자석 쪽으로 움직인다. 이 실험을 통하여 자석과 자석에 붙는 물체 사이에 끌어당기는 힘이 작용하는 것을 알 수 있다.

05 자석과 물체가 서로 끌어당기는 힘은 자석에 붙지 않는 물체를 통과하여 작용하지만, 자석에 붙는 물체는 힘이 통과하여 작용하지 못하기 때문에 철 판을 놓으면 클립이 바닥으로 떨어진다.

06 실험을 통해 자석이 철로 된 물체를 끌어당기는 힘은 물을 통과하여 작용하는 것과 서로 떨어져 있어도 자석의 힘이 작용함을 알 수 있다.

07 클립이 자석의 양쪽 끝 부분에 가장 많이 붙어 있으며, 이 부분을 자석의 극이라고 한다. 자석의 양쪽 끝에서 철로 된 물체를 더 세게 끌어당기기 때문에 클립이 가장 많이 붙는다.

08 자석의 극은 자석의 다른 부분보다 철로 된 물체를 세게 끌어당기기 때문에 철로 된 물체를 가장 세게 끌어당기거나, 철로 된 물체가 많이 붙는 곳이 극의 위치이다.

09 자석의 양쪽 끝 부분에서 클립을 가장 세게 끌어당기기 때문에 자석의 양쪽 끝 부분에 클립을 가장 길게 이어 붙일 수 있다.

10 ① 막대자석의 극은 두 개이다.
② 막대자석의 극은 양쪽 끝 부분에 있다.
③ 구리는 자석에 붙지 않는 물질로 자석에 끌어당겨지지 않는다.
⑤ 막대자석의 양쪽 끝 부분에서 철로 된 물체를 끌어당기는 세기가 가장 크다.

서술형으로 다지기 62~63쪽

01 모범답안 자석 두 개를 가까이 하면 자석의 세기와 관계없이 가벼운 자석이 무거운 자석으로 끌려가므로 자석의 세기를 비교할 수 없다.
해설 자석과 자석 사이에는 서로 끌어당기는 힘(인력)이나 서로 밀어내는 힘(척력)이 작용한다. 두 자석 A, B가 있을 때 자석 A가 자석 B를 끌어당기는(밀어내는) 힘은 자석 B가 자석 A를 끌어당기는(밀어내는) 힘과 같다.따라서 상대적으로 가벼운 자석이 무거운 자석 쪽으로 움직이게 된다. 자석의 세기를 비교하려면 자석에 붙는 클립의 개수로 비교하거나 자석의 힘이 미치는 거리를 알아보면 된다.

02 모범답안 자석 칠판, 드라이버 끝, 전동기(모터), 스피커, 자석 장난감, 자석 필통, 철로 된 바둑판에 붙는 자석을 이용한 바둑알, 자석 팔찌, 나침반, 가방의 잠금 단추, 클립 통 등
해설 전동기는 자석의 힘이 미치는 공간(자기장) 속에 있는 전선 속에 전류가 흐르면 전선이 힘(전자기력)을 받는 것을 이용하여 만든 장치로 모터라고도 불린다. 마찬가지로 스피커도 자석 속에 코일이 감겨 있는데 전류에 따라 스피커 속의 코일이 힘을 받아 떨리면서 소리가 나오게 된다.

03 모범답안 막대 (가)의 한 쪽 끝을 막대 (나)의 가운데에 대어본다. 만약 막대 (가)가 자석이라면 막대 (나)의 가운데에 붙을 것이고, 막대 (가)가 쇠막대라면 잘 붙지 않을 것이다.
해설 자석의 끝 부분을 쇠막대에 가까이하면 자석은 쇠막대의 어느 부분에도 잘 붙지만, 쇠막대를 자석에 가까이하면 양쪽 끝 부분에는 잘 붙지만 자석의 가운데에는 잘 붙지 않는다. 실험을 해 보면 자석의 가운데에 쇠막대의 끝부분을 대면 자석 양쪽 끝 부분의 자석의 세기가 세기 때문에 쇠막대가 옆으로 누으면서 자석에 붙게 된다.

04 모범답안 자석에 클립을 떼었다 붙였다 하는 것은 자석이 아니라 사람이기 때문에 자석의 세기는 아무런 변화가 없다.
해설 자석에 붙은 클립을 떼어내려면 힘이 필요한데, 이 힘은 사람에 의한 것이다. 따라서 클립을 떼어내는 과정에서 자석은 아무런 작용을 하지 않았기 때문에 자석의 세기는 약해지지 않는다. 만약 지면에 있는 돌을 사람이 집어 올렸다가 떨어뜨리면 지구의 중력에 의해 돌이 계속 떨어지지만 지구의 중력은 약해지지 않는다. 이와같이 자석도 클립을 잡아당기지만 계속 잡아당기는 힘이 있다고 해서 자석의 세기가 줄어들지는 않는다.

융합사고력 키우기 64~65쪽

01 모범답안 모노폴

02 모범답안 자석은 두 개의 극을 갖는 작은 자석 알갱이들이 규칙적으로 배열되어 두 개의 극을 갖는다. 자석을 반으로 나누어도 반으로 나누어진 자석은 두 개의 극을 갖는 작은 자석 알갱이들이 규칙적으로 배열되어 있어 극이 하나 더 생겨 여전히 두 개의 극을 갖기 때문이다.
해설 모노폴은 자석을 이루고 있는 두 개의 극을 갖는 자석 알갱이가 아닌 한 개의 극을 갖는 자석 알갱이를 말하는 것이다.

03 모범답안
- 극이 하나뿐이므로 하나의 극을 갖는 자석 구슬을 만들 수 있을 것이다.
- 두 개의 극을 갖는 막대자석은 양끝 극에만 철이 잘 붙지만 극이 하나뿐인 막대자석은 골고루 철이 잘 붙을 것이다.
- 자석을 반으로 나누어도 하나의 극만 있는 자석이 될 것이다.
- 바늘을 자화시킬 때 하나의 극으로만 가능할 것이다.

해설 극이 하나뿐인 자석이 있다면 극이 하나뿐인 자석 알갱

이로 구성되어 있을 것이다. 없을 수도 있는 자석이지만 이 문제를 해결하려고 노력한다면 자신에게 어떤 상황이 벌어졌을 때 그 상황 파악을 하고 장단점을 분석해 자신에게 유리한 점을 찾아 상황을 해결할 수 있는 능력을 기를 수 있을 것이다.

06 자석과 자석

개념 기르기 70~71쪽

01 ⑤	02 ①, ④	03 ④	04 ①	05 ③
06 ②	07 ③	08 ③	09 ④	10 ⑤

01 쇠막대를 물에 띄우고 움직임을 관찰하여 보면 쇠막대가 가리키는 방향이 계속 달라지는 것으로 보아 가리키는 방향이 일정하지 않음을 알 수 있다. 자석은 북쪽과 남쪽을 가리킨다.

02 ② 자석의 극은 N극, S극 두 종류가 있다.
③ 자석의 양쪽 끝 부분의 한쪽은 N극, 다른 쪽은 S극이다.
⑤ 자석의 양 끝 부분의 N극은 북쪽을 가리키는 부분으로 보통 빨간색, S극은 남쪽을 가리키는 부분으로 보통 파란색을 칠한다.

03 자석을 실에 매달아 공중에 매달면 자석이 돌다가 N극은 북쪽을 가리키고, S극은 남쪽을 가리키며 멈춘다. 또한 비커 안에 있는 자석은 바닥과 수평을 유지하도록 해주어야 자석이 정확한 방향을 가리킬 수 있다.

04 ㉢ 나침반을 평평한 바닥에 놓은 뒤 나침반을 돌려 가면서 바늘의 빨간색 부분이 바닥에 쓰여 있는 '북'이나 'N'에 놓이게 한다. 바늘의 파란색 부분은 '남'이나 'S'에 놓이게 해야 한다.
㉣ 나침반은 자석이 일정한 방향을 가리키는 성질을 이용하여 방향을 찾을 수 있도록 만든 것이다.

05 ① 머리핀이 자화되면 자석의 성질을 띠게 되어 N극과 S극을 갖게 된다.
② N극과 S극에 상관없이 머리핀이 자화되어 클립이 달라붙는다.
④ 머리핀은 자석과 같아 나무는 달라붙지 않는다.
⑤ 자석으로 문지르지 않은 머리핀은 자화되지 않아 클립이 끌어당겨지지 않는다.

06 ① 나침반의 방향과 머리핀이 가리키는 방향이 같으므로 ㉠은 S극, ㉡은 N극이다.
② 자석의 N극으로 한 방향으로 문지르면 N극이 마지막으로 닿은 머리핀 끝 부분이 S극으로 자화한다.
③ 머리핀은 돌다가 일정한 방향을 가리키며 멈춘다.
④ 자석을 문지를 때는 한 가지 극으로 한 방향으로 여러 번 문질러야 한다.
⑤ 머리핀은 자석의 성질을 가지므로 나침반으로 만들 수 있다.

07 두 개의 막대자석이 서로 미는 힘이 작용하므로 ㉠과 ㉡은 서로 같은 극이다.
⑤ ㉡이 오른쪽으로 향하게 돌리면 마주보는 두 극이 서로 다른 극이 되어 끌어당기는 힘이 작용한다.

08 고리 자석 다섯 개를 모두 서로 같은 극끼리 마주 보게 놓으면 가장 높은 탑이 되고, 서로 다른 극끼리 마주 보게 놓으면 가장 낮은 탑이 된다.

09 하드디스크, 통장, 신용 카드 등은 자화를 이용하여 정보를 저장할 수 있는 자석의 성질을 이용한 물체이다. 매미 자석은 자석의 같은 극끼리 밀고 다른 극끼리 잡아당기는 성질을 이용한 장난감이다.

10 ㉠ 자석 팽이는 팽이와 받침대 모두 자석이 들어 있다.
㉢ 자석의 위치를 알아보려면 클립을 붙여 보거나 자석을 가까이 가져가 보면 종이 팽이의 자석의 위치를 알 수 있다.

서술형으로 다지기 72~73쪽

01 모범답안 머리핀 속에 작은 자석들은 자석을 이용해 한 방향으로 문질러 주면 일정한 방향으로 정렬되어 자화되기 때문이다.
해설 철, 니켈과 같은 물질에는 아주 작은 자석들이 많이 있는데, 이 작은 자석들이 여러 방향으로 향하고 있어 전체로

보면 자석의 성질이 없다. 하지만 주변에 센 자기장이 있으면 작은 자석들이 자기장의 방향으로 정렬하게 되면서 자석의 성질을 갖게 된다. 따라서 바늘이나 머리핀에 자석을 가지고 한 방향으로 문질러 주면 바늘이나 머리핀의 작은 자석들이 그 방향에 따라 정렬하게 되기 때문에 자석이 된다. 이렇게 자화된 바늘이나 머리핀은 시간이 지나면 원래의 방향으로 되돌아가기 때문에 자석의 성질을 잃게 된다.

02 모범답안

- 자석이 되었던 바늘이나 머리핀을 세게 여러 번 두드린다.
- 공기 중에 오랫동안 놓아둔다.
- 가열한다. 등

해설 물체에는 작은 자석들이 불규칙하게 배열되어 있는데, 바늘이나 머리핀처럼 철로된 물체의 경우는 자석을 한 방향으로 문질러 주면 작은 자석들이 한 방향으로 정렬하여 자석의 성질을 갖게 된다. 자화된 물체는 시간이 지나면 작은 자석들이 다시 불규칙하게 배열되면서 자석의 성질을 잃게 된다. 하지만 강한 충격을 주거나 열을 가해주면 그냥 두었을 때보다 더 빨리 자석의 성질을 잃게 된다. 이것은 작은 자석들이 다시 불규칙하게 돌아가는 데 필요한 에너지를 주는 것이기 때문이다.

03 모범답안 (나), 자석을 같은 극끼리 마주 대어 보관하면 자신의 방향과 반대 방향으로 자화되기 때문에 자석의 성질을 잃어버리게 되고 자석을 서로 반대 극끼리 마주 대어 보관하면 자신의 방향과 같은 방향으로 자화되기 때문에 자석의 성질을 유지할 수 있다.

해설 표를 분석하여 보면 (가)는 보관 후 자석의 세기가 약해졌고, (나)는 보관 후에도 자석의 세기를 유지한 것으로 보아 (나)가 자석의 세기를 더 오랫동안 유지시켜 주는 것을 알 수 있다. 자석은 시간이 지날수록 자석 속의 작은 자석들이 점차 무질서하게 변하기 때문에 자석의 성질을 점점 잃어버린다. 따라서 자석을 보관할 때는 N극과 S극을 서로 붙이고 양쪽 끝에 쇠붙이를 붙여 놓는 것이 좋다.

04 모범답안 N극에 붙여 놓은 시침핀의 끝이 N극으로 자화되어 다른 막대자석의 N극을 가까이 하면 밀어내는 힘이 작용하여 시침핀의 사이가 벌어진다.

해설 자석의 N극에 붙인 시침핀의 머리 부분은 S극, 바늘 부분은 N극으로 자화된다. 반대로 막대자석의 S극을 가까이 하면 시침핀의 바늘 부분이 N극으로 자화되었기 때문에 서로 끌어당기는 힘이 작용하여 시침핀의 사이가 좁아진다.

융합사고력 키우기 74~75쪽

01 모범답안 병원균이 들러붙은 산화 철 구슬을 잡아당긴다.

해설 자석기계는 병원균이 들러붙은 산화 철 구슬을 전자석을 이용해서 잡아당겨 병원균을 제거한다.

02 모범답안 산화 철 구슬에 진균(원인균)을 찾아 공격하는 항체로 덮은 후 혈액을 순환시키면 항체에 진균이 들러붙는다. 자석기계로 진균이 들러붙은 산화 철 구슬을 잡아당겨 진균과 함께 제거한다.

해설 지문에서 설명하는 자석기계가 패혈증의 원인균을 제거하는 방법을 정리하여 서술하면 된다.

03 모범답안

- 혈액에 불필요한 물질을 제거할 수 있는 물질을 산화 철 구슬 표면에 덮으면 혈액을 청소할 수 있다.
- 항생제는 다른 미생물의 성장이나 생명을 막는 물질이므로, 항생제를 산화 철 구슬 표면에 덮어 공급하면 자기력에 의해 다른 미생물을 효과적으로 치료할 수 있다.
- 특정 세포와 반응하는 물질을 산화 철 구슬에 덮으면 혈액에서 암 세포나 줄기세포를 추출할 수 있다.

해설 잉버는 동물실험을 시작해 이 자석기계가 생물체에 잘 작동하는지 또는 건강한 세포를 죽이지는 않는지 살펴볼 예정이다. 그는 나중에 이 기술을 발전시켜 혈액에서 암 세포나 줄기세포를 추출하는 데도 활용할 계획이다.

탐구력 기르기 76~77쪽

01 모범답안 자석 인형이 움직인다.

02 모범답안 같은 극 사이에서 작용하는 밀어내는 힘에 의해 자석 인형이 움직인다.

03 모범답안 자석과 자석 사이를 가까이 한다. 강한 자석을 사용한다.

해설 자석 사이의 거리가 가까워지면 자석 사이에 작용하는 힘이 강해진다.

04 모범답안 철로에 있는 자석과 기차 바닥에 있는 자석은 서로 같은 극이여서 밀어내는 힘이 작용하므로 기차가 레일 위를 떠서 달릴 수 있다.

해설 스마트폰으로 QR코드를 찍어서 자기부상열차 동영상을 시청한다. 열차 바닥의 초전도 자석과 레일의 전자석의 자기장 방향을 반대로 두면 열차와 레일 사이에 서로 밀어내는 척력이 생겨 무거운 열차를 공중에 뜨게 할 수 있다. 열차가 떠서 이동하면 마찰력이 거의 발생하지 않으므로 적은 힘으로 먼 거리를 갈 수 있다. 초전도 현상이란 −200 ℃ 이하의 매우 낮은 온도에서 전기 저항이 사라지는 현상을 말한다. 초전도 현상이 일어나는 초전도체는 전기 저항이 사라지는 것 외에도 아주 큰 자기장을 만들거나 자기장을 가둘 수 있다.

Ⅳ 지구의 모습

07 우리의 지구

개념 기르기 84~85쪽

01 ①	02 ①, ⑤	03 ④	04 ③	05 ③
06 ②	07 ④	08 ③	09 ③, ④	10 ⑤

01 지구에서는 육지, 바다, 구름 등을 관찰할 수 있고, 달에서는 운석 구덩이, 밝은 부분과 어두운 부분을 관찰할 수 있다. 지구와 달의 공통점은 둥근 모양을 하고 있다는 것이다.

02 배가 항구로부터 가까워지면 배의 크기는 점점 커지고, 배의 윗부분인 돛대부터 나타난다. 배가 항구로부터 멀어질 때는 배의 크기가 작아지고 배의 아랫부분부터 점점 사라지다가 나중에는 배가 보이지 않는다.

03 ① 지구가 편평하다면 높이 올라가도 시야가 넓어지지 않는다. 그러나 지구는 둥글기 때문에 높이 올라갈수록 넓게 볼 수 있다. 우주로 가면 지구 전체 모습을 볼 수 있다.
② 월식은 달이 지구의 그림자에 가려지는 현상으로, 월식 때 보이는 달의 그림자를 보면 둥글다.
④ 달의 모양이 바뀌는 것은 달이 지구 주위를 공전하기 때문에 나타나는 현상이다.

04 지구 표면에서 물과 관련된 지형은 강, 호수, 시냇물, 폭포, 바다 등이고, 땅과 관련된 지형은 산, 골짜기, 들 등이다. 골짜기는 산과 산 사이, 절벽과 절벽 사이의 움푹 들어간 지형이다.

05 바닷속에는 산과 골짜기, 화산 등이 있고, 넓고 편평한 곳도 있다. 바닷속에는 헤엄지는 물고기와 식물 등 많은 생물이 살고 있다. 해저에 생긴 화산을 해저화산이라고 하는데 땅의 화산과 동일하다. 하지만 주위에 많은 바닷물이 있기 때문에 수압이 높아 분화 규모가 작은 것이 많다.

06 ① 전체 면적 중 육지는 14칸이고 바다는 36칸이다.
③ 지구 표면의 29%는 육지로 덮여 있다.
④ 북반구에는 육지가 많이 분포한다.

⑤ 남반구에는 바다가 많이 분포한다.

07 바닷물에는 짠맛이 나는 소금 등 여러 가지 물질이 녹아 있어 사람이 마실 수 없다. 바닷물을 마시면 갈증이 더 심해지고 탈수 현상이 나타난다.

08 증발은 액체 표면에서 액체가 기체로 변하는 현상으로 액체를 이루는 입자(분자)가 스스로 운동한다는 증거이다. 증발은 표면적이 넓을수록, 습도가 낮을수록, 온도가 높을수록, 바람이 잘 불수록 잘 일어난다.

09 ① 공기가 일정한 공간을 차지한다는 것을 알 수 있다.
② 공기가 차지하는 공간은 공기를 담는 그릇 모양과 같다.
③ 공기는 무게를 가지고 있기 때문에 부풀린 비닐 봉지가 더 무겁다.

10 대기가 없었다면 지구의 평균 기온은 약 영하 18 ℃ 정도 되었을 것이다. 낮에는 태양 빛을 그대로 흡수하여 온도가 수십 도까지 올라가지만 밤에는 영하 100 ℃까지 떨어졌을 것이다. 하지만 지구의 대기는 직접 오는 태양 빛을 막고 밤에 빠져나가는 열을 막아주어 평균 온도를 약 15 ℃ 정도로 유지시킨다.

서술형으로 다지기 86~87쪽

01 모범답안
• 해뜨는 시각이 어디에서나 같았을 것이다.
• 높이에 관계없이 볼 수 있는 시야가 같았을 것이다.
• 멀리서 들어오는 배가 배의 윗부분부터 보이지 않고 배 전체가 보였을 것이다.

해설 지구의 실제 모양은 적도 부분이 약간 부푼 둥근 모양이다. 현재 해뜨는 시각은 동쪽으로 갈수록 빨라지는데, 지구가 편평하다면 해가 뜨는 시각이 모두 같을 것이다. 만약 지구가 편평하였다면 고위도로 갈수록 고도가 높아지는 북극성의 고도가 모두 고위도에서 관측하는 것과 같이 머리 위에서 관측될 것이다.

02 모범답안 달은 지구보다 중력이 약하기 때문에 공기를 잡아둘 힘이 없다. 따라서 공기가 있어도 우주 공간으로 모두 빠져나가게 된다.

해설 달의 중력은 지구의 1/6이다. 지구의 중력은 공기가 빠져나가지 않도록 지표 부근에 잡아둘 정도의 힘을 가지고 있기 때문에 대기가 존재하지만, 달은 중력이 약해 공기를 잡아둘 힘이 부족하다. 천체가 대기를 가지기 위해서는 탈출속도보다 큰 중력을 가지면 되는데 달은 중력이 탈출속도보다 작다. 탈출속도는 물체가 천체의 표면에서 탈출할 수 있는 최소한의 속도로 물체의 탈출속도가 중력보다 크면 물체를 위로 던졌을 때 천체를 벗어나지만 물체의 탈출속도가 중력보다 작으면 위로 올라갔다가 다시 천체로 떨어진다.

03 모범답안 연기는 기체가 아닌 작은 액체 방울이나 고체 알갱이들이 빛에 반사되어 눈에 보인다. 그러나 기체인 공기는 눈에 보이지 않는다.

해설 연기를 공기와 같은 기체로 생각하는 것은 틀린 생각이다. 연기는 작은 액체 알갱이들과 매우 작은 고체 알갱이가 섞여 있기 때문에 연기 속에 있는 작은 물방울이나 알갱이들이 햇빛에 반사되어 하얗게 보인다. 연기 이외에도 물이 끓는 주전자에서 나오는 김, 안개 등은 모두 아주 작은 액체 알갱이가 보이는 것이다.

04 모범답안 지구에서는 촛불에 의해 데워진 공기가 위로 올라가고 산소가 많이 포함된 찬 공기가 촛불 쪽으로 들어오는 대류 현상이 일어나기 때문에 계속 초가 탈 수 있다. 하지만 무중력 상태에서는 대류 현상이 일어나지 않아 산소가 공급되지 않기 때문에 촛불이 바로 꺼진다.

해설 우주정거장이 무중력 상태가 될 수 있는 것은 지구 주위를 원운동하기 때문에 지구를 벗어나려는 원심력과 지구가 우주정거장을 끌어당기는 중력의 크기가 같아 힘의 평형 상태가 되기 때문이다. 대류 현상은 가벼워진 따뜻한 공기 입자가 위로 올라가고 상대적으로 무거운 찬 공기 입자들이 아래로 내려오면서 순환되는 현상을 말한다. 이 대류 현상은 중력의 영향을 받기 때문에 무중력 상태에서는 대류 현상이 일어나지 않는다.

융합사고력 키우기 88~89쪽

01 모범답안 중력

해설 질량이 있는 모든 물체 사이에는 서로 끌어당기는 만

정답 및 해설

유인력이 작용한다. 특히 지구가 물체를 잡아당기는 힘을 중력이라 한다. 정확히는 만유인력과 지구의 자전에 따르는 원심력을 더한 힘이다. 중력의 크기는 물체의 질량에 비례하므로 자유낙하하는 물체는 질량에 상관없이 일정한 가속도로 떨어진다. 그러나 중력가속도는 장소에 따라 조금씩 다르다. 이것은 지구 자전에 따른 원심력이 위도에 따라 다르고, 지구가 완전한 구체가 아니라 약간 평평한 타원체이기 때문이다.

02 모범답안 두 개의 위성이 간격을 유지하면서 지구를 돌 때 중력이 큰 곳에서는 두 위성의 거리가 가까워지고 중력이 약한 곳에서는 거리가 멀어지는 차이를 이용하여 지구의 중력을 측정하였다.

해설 NASA와 독일항공우주센터는 2002년 쌍둥이 위성 '그레이스(중력복원기후실험위성)'를 쏘아올렸다. 이 위성은 고도 450 km 상공에서 220 km 간격을 유지한 채 지구를 돌고 있다. 이 거리의 차이가 지구 중력을 측정하는 비밀이다. 두 개의 위성이 중력의 크기가 비슷한 바다 위를 지나간다면 우주선 간의 거리는 일정하게 유지된다. 하지만 앞 위성이 바다보다 밀도가 높은 땅 위를 지나면 중력이 달라진다. 이때 뒤따르던 위성과의 간격은 좁아지고 반대로 땅 위를 지나던 앞의 위성이 바다 위를 지나면 뒷 위성과 거리가 멀어지게 된다. '그레이스'는 이렇게 특정 부분을 지날 때마다 변하는 두 위성의 간격 변화를 측정한다. 마이크로파를 감지해 서로의 거리를 재는 정확도는 100만 분의 1cm 정도이다. 인간의 눈으로는 볼 수 없을 정도로 작은 부분까지 잡아내는 것이다.

03 모범답안

- 월식 때 비치는 지구 그림자가 네모일 것이다.
- 평평한 면을 항해하는 배가 항구로 들어올 때 배 전체가 다 보일 것이다.
- 햇빛이 비스듬하게 비추는 현상이 없어진다.
- 한 면에 있는 나라들은 시간이 모두 똑같아져 여행할 때 시간을 맞추지 않아도 된다.
- 지구의 모습을 촬영하려면 면마다 모두 돌아가며 찍어야 한다.
- 천문대를 꼭지점에 지으면 빛이 적게 산란되어 별을 관측하기 좋을 것이다.
- 극지방(윗면과 아랫면)에는 태양이 뜨지 않는다.

해설 중력은 우리가 상상하는 것 이상으로 크게 지구를 잡아당긴다. 네모 혹은 어떤 모양이라 하더라도 중력이 존재하는 한 지구는 중력의 힘을 견디지 못하고, 또다시 공 모양으로 바뀔 수밖에 없다.

08 지구의 달

개념 기르기 94~95쪽

01 ④ 02 ①, ③ 03 ⑤ 04 ③, ⑤ 05 ②
06 ① 07 ④ 08 ③ 09 ⑤

01 달 표면의 밝은 부분과 어두운 부분이 보는 사람에 따라 여러 가지 모습으로 보여지기 때문이다.

02 ② 달에는 대기가 없어 구름이 존재하지 않는다.
④ 달을 볼 수 있는 이유는 햇빛을 반사하기 때문이다.
⑤ 파란색을 띠는 부분은 없으며 달의 바다는 어두운 부분이다.

03 가운데가 불룩하게 파여 있으며 가장자리는 담처럼 둘러싸여 있다. 운석이 달 표면에 충돌하면 운석체는 증발하고 충격이 달 아래로 전달된다. 이때 구덩이로부터 많은 물질들이 사방으로 날아 흩어지지만 대부분 물질들은 다시 떨어져 구덩이를 메운다. 구덩이의 가장자리는 폭발로 날아간 물질들이 쌓인 곳이다. 달의 운석 구덩이는 60~300 km 정도의 크기가 200개 이상 있으며 철학자, 과학자, 천문학자의 이름이 붙어 있다.

04 ① 지구와 달은 모두 둥근 모양이다.
② 지구가 달보다 크고 무게도 더 많이 나간다.
④ 지구는 달보다 지름이 4배 더 크다.

05 ① 전체 모양이 둥근 것은 달과 지구와 비슷한 점이다.
③ 지구와 달 모두 표면에 돌과 흙이 있으므로 비슷한 점이다.
④ 푸른색 표면은 지구가 달과 다른 점이다.
⑤ 지구와 달에는 깊은 곳도 있고, 높이 솟은 곳도 있으므로 비슷한 점이다.

06 운석은 외부 천체가 지구의 중력에 의해 지구 대기권을 통과

하여 땅에 떨어지는 것으로 생물이 살아가는 데 필요한 것은 아니다. 달빛은 햇빛을 반사시키는 것으로 생물이 살아가는 데 꼭 필요한 것은 아니다.

07 ① 달에는 햇빛이 비치지만 공기가 없어 낮과 밤의 기온 차가 크다.
② 달에는 공기가 없기 때문에 태풍이 발생하지 않는다.
③ 달에는 운석이 많이 떨어지는 것이 아니라 운석의 충돌 흔적이 지워지지 않아 운석 구덩이가 많이 남아 있다.
⑤ 달에는 물이 없고 얼음 상태로는 있을 수 있다고 추정한다.

08 공기는 생물이 숨을 쉴 수 있게 해주고, 우주에서 오는 해로운 광선을 막아준다. 또한 대기(공기)의 온실 효과에 의해 낮과 밤의 온도 차이를 줄여주어 살기 적당한 온도를 유지시켜 준다. 물은 우리 몸의 약 70%를 차지할 정도로 많은 부분을 차지하고, 생명을 유지하는 데 필요한 화학 반응에 꼭 필요한 물질이다.

09 전자 제품을 사용하지 않을 때는 전력 차단과 안전을 위해 콘센트를 뽑아둔다.

서술형으로 다지기 96~97쪽

01 모범답안 달의 절반만 태양빛을 받기 때문에 반만 밝게 보이고 태양빛을 받지 못하는 절반은 어둡게 보인다.
해설 달은 광원이 아니기 때문에 태양빛을 반사한 부분만 볼 수 있다. 달은 지구 주위를 공전하기 때문에 태양빛을 받는 부분이 계속 바뀌게 된다. 태양－달－지구 순으로 위치하면 달이 보이지 않는 삭이 되고 태양－지구－달 위치가 되면 달이 동그랗게 보이는 망(보름달)이 된다. 반달은 태양－지구－달이 수직을 이룰 때 나타난다.

02 모범답안 지구에는 대기와 구름이 있기 때문에 우주선에서 표면의 모습이 잘 보이지 않지만 달에는 대기가 없기 때문에 표면의 모습이 잘 보인다.
해설 대기가 짙을수록 빛을 통과시키지 못하므로 그 속을 보기 어렵다. 따라서 지구 표면은 뚜렷하게 보기 어렵지만 달에는 대기가 없어 그 표면을 뚜렷하게 관찰 가능하다. 태양계의 금성은 두꺼운 이산화 탄소의 대기층을 가지고 있기 때문에 지구에서 금성 표면을 관찰할 수 없다.

03 모범답안 달에는 공기가 없기 때문이다.
해설 유리판을 덮은 상자와 덮지 않은 상자의 평균 온도를 비교하면 유리판을 덮은 상자의 온도가 더 높다. 이것은 상자에서 방출되는 에너지가 유리판을 바로 빠져나가지 못하고 유리판에 흡수된 후 다시 상자로 방출되어 상자 온도를 높이기 때문이다. 이러한 현상은 지구의 대기에서도 일어난다. 지구가 방출하는 에너지 일부가 대기 중의 수증기나 이산화 탄소에 의해 흡수된 후 다시 지표로 방출된다. 이런 과정이 반복되면서 지구 온도가 높아지는 것을 온실 효과라고 한다. 현재 지구의 평균 기온은 약 15 ℃이다. 만약 대기에 의한 온실 효과가 없다면 지구의 평균 기온은 −18 ℃ 정도까지 내려가게 될 것이다. 온실 효과 덕분에 지구는 대기가 없을 때보다 평균 온도가 높다. 달에는 대기(공기)가 없어서 온실 효과가 나타나지 않으므로 낮과 밤의 온도 차이가 매우 심하다. 태양을 향한 낮에는 태양 에너지를 받으므로 온도가 매우 높아지고, 태양 반대편을 향한 밤에는 태양 에너지를 받지 못하므로 온도가 매우 낮아진다. 달에서는 대기가 없기 때문에 기상 현상이나 침식 작용도 일어나지 않는다.

04 모범답안
- 대중 교통 이용, 자전거 이용, 걷기 등으로 화석 연료 사용을 줄인다.
- 에너지 효율이 높은 가전 제품을 사용한다.
- 사용하지 않은 전자 제품의 전원을 끄고 콘센트를 뽑아 에너지를 절약한다.
- 실내 적정 온도를 유지하며 에너지를 효율적으로 사용한다.
- 대기 중으로 배출되는 이산화 탄소를 회수하여 지하 깊은 곳의 암석층에 가둬 대기 중의 이산화 탄소 양을 줄인다.

해설 지구 온난화는 전 세계적으로 해수의 온도를 높이고 기상 이변을 일으킨다. 최근 온실 기체 증가로 지구 온난화가 가속화됨에 따라 전 세계적으로 집중 호우, 폭설, 슈퍼 태풍 등 위험한 기상 현상이 자주 발생하면서 인류의 생존을 위협하고 있다. 또한, 지구의 평균 기온이 상승하면서 빙하가 빠른 속도로 녹고 있다. 빙하는 햇빛의 80 %를 반사시켜 지구를 식히는 역할을 한다. 그런데 빙하가 녹아 햇빛 반사율이 낮아지면 그만큼 바다가 그 열을 흡수해 해수면의 온도를 더욱 상승시켜 더 많은 빙하가 녹는 악순환이 계속된다. 지구 온난화의 진행 속도를 늦추려면 대기 중의 온실

기체, 특히 이산화 탄소의 양을 줄여야 한다. 이산화 탄소는 주로 화석 연료를 태울 때 많이 생성된다. 화석 연료는 난방, 자동차나 기차의 연료, 전기를 만드는 원료로 사용된다. 에너지를 효율적으로 사용하고 절약하여 화석 연료 사용량을 줄이면 새로 만들어지는 이산화 탄소 양을 줄일 수 있다. 새로 만들어지는 이산화 탄소를 특수 화학 물질과 결합하여 지하 깊은 곳의 암석층에 가두는 기술도 연구 중이다.

융합사고력 키우기 98~99쪽

01 모범답안 산소

해설 사람은 호흡할 때 산소를 들이마시고 이산화 탄소를 내보낸다. 우리는 산소를 이용해 영양소를 분해하여 살아가는데 필요한 에너지를 얻는다.

02 모범답안 생물은 산소를 들이마시고 호흡으로 에너지를 만든 후 이산화 탄소를 내보내고, 식물은 이산화 탄소를 들이마시고 광합성으로 양분과 산소를 만든다.

해설 생물(동물, 식물)은 에너지를 얻기 위해 항상 호흡을 하며 산소를 들이마시고 이산화 탄소를 내보낸다. 식물은 빛에너지가 있을 때만 영양분을 만드는 광합성 작용을 하여 이산화 탄소를 들이마시고 산소를 내보낸다. 식물은 호흡량보다 광합성량이 많기 때문에 광합성으로 만들어지 산소 중 일부를 사용하고 나머지는 공기 중으로 내보내며, 동물은 이 산소를 이용하여 호흡한다. 생물의 호흡과 식물의 광합성에 의해 공기의 조성이 유지되려면 빛에너지가 반드시 필요하다.

03 예시답안

- 투명한 온실 : 태양 빛에너지로 식물을 키우고 태양 전지로 전기를 만들어야 하기 때문이다.
- 식물 : 호흡에 필요한 산소를 만들고 식량으로 먹어야 하기 때문이다.
- 호수나 바다 : 동물과 식물이 살아가기 위해서는 물이 필요하기 때문이다.
- 동물 : 식물이 광합성을 할 때 필요한 이산화 탄소를 만들고 식량으로 먹어야 하기 때문이다.

해설 식물이 태양 빛에너지를 받아 이산화 탄소와 물을 이용하여 광합성을 하면 영양분과 산소를 만든다. 사람은 식물이 만든 산소를 들이마시고 식물이 만든 영양분을 먹은 후 산소와 영양분을 이용하여 살아가는데 필요한 에너지를 만들고 이산화 탄소를 내보낸다. 이산화 탄소는 다시 식물이 흡수하여 광합성을 한다.

탐구력 기르기 100~101쪽

01 모범답안 어두운 부분과 밝은 부분이 있다. 매끈하지 않고 작은 운석 구덩이가 있다.

해설 어둡게 보이는 부분은 달의 바다, 밝게 보이는 부분은 달의 육지이다. 달의 육지에는 다양한 운석 구덩이가 밀집되어 있다. 운석 구덩이는 달에 운석이 떨어져서 생긴 것이다. 운석이 달 표면에 떨어지면 엄청난 에너지로 달 표면에서 폭발하므로 운석의 모양이나 떨어지는 방향, 각도에 관계없이 운석 구덩이는 모두 둥그런 모양이다.

02 모범답안

- 종이배를 밀었을 때 : 배의 아랫부분부터 사라진다.
- 종이배를 당겼을 때 : 배의 윗부분 돛부터 보인다.

해설 지구는 둥글기 때문에 배가 항구로부터 멀어지면 배의 아랫부분부터 사라지고, 항구로 들어올 때는 배의 윗부분부터 보인다.

03 모범답안

- 항구에서 멀어져 가는 배는 아랫부분부터 사라지고, 항구로 들어오는 배는 윗부분부터 보인다.
- 한 방향으로 가면 지구 한 바퀴를 돌 수 있다.
- 월식이 일어날 때 달에 비친 지구의 그림자가 둥글다.
- 인공위성에서 찍은 지구의 모양이 둥글다.

04 모범답안 지구에는 공기와 물이 있어 다양한 생물이 살 수 있는 환경을 갖추고 있지만 달에는 공기와 물이 없어 생물이 살 수 없다.

해설 달은 바다도 대기도 없는 죽음의 세계이다. 달의 표면 온도는 낮에는 130 ℃까지 올라가고 밤에는 −170 ℃까지 내려간다. 달은 생명체가 살아가기에 너무나 혹독한 기후이며 암석 덩어리에 불과하다.

Ⅳ 지구의 모습

달 입체 사진

MEMO

입체 안경본

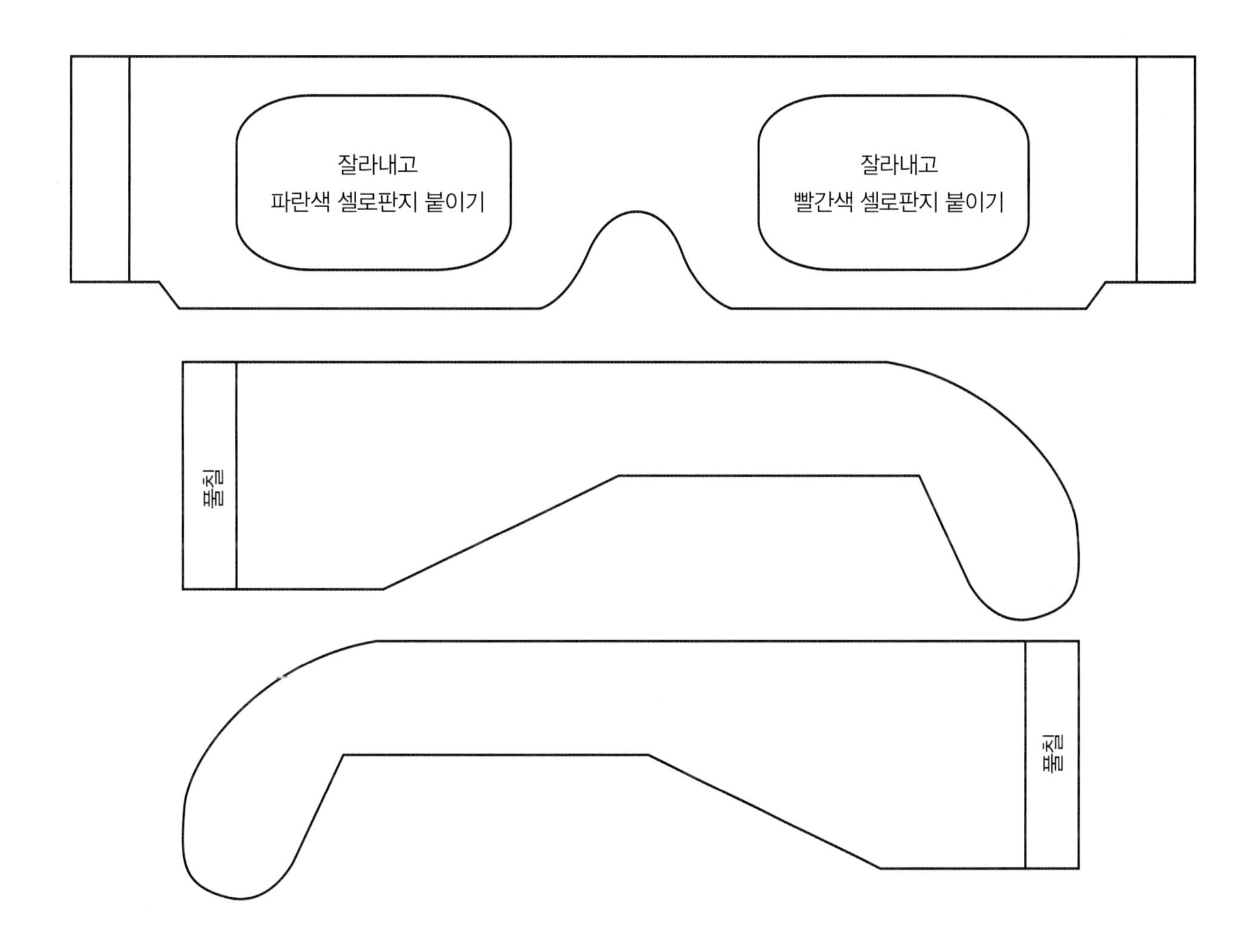
잘라내고
파란색 셀로판지 붙이기
잘라내고
빨간색 셀로판지 붙이기
풀칠
풀칠

안쌤의

줄기과학 시리즈

3-1 8강 3-2 8강 4-1 8강 4-2 8강

새 교육과정
5~6학년
학기별
STEAM 과학

5-1 8강 5-2 8강 6-1 8강 6-2 8강

새 교육과정
중등 영역별
STEAM 과학

물리학 24강 화학 16강 생명과학 16강 지구과학 16강 물리학 워크북 화학 워크북

안쌤의

최상위 줄기과학

펴낸곳 타임교육C&P **펴낸이** 이길호

지은이 안쌤 영재교육연구소(안재범, 최은화, 유나영, 이상호, 이은혜, 추진희, 허재이, 오아린, 이나연, 김혜진, 김샛별, 최혜성)

주소 서울특별시 강남구 봉은사로 442 **연락처** 1588-6066

팩토카페 http://cafe.naver.com/factos

안쌤카페 http://cafe.naver.com/xmrahrrhrhghkr(안쌤 영재교육연구소)

자율안전확인신고필증번호: B361H200-4001

1.주소: 06153 서울특별시 강남구 봉은사로 442
2.문의전화: 1588-6066
3.제조년월: 2022년 2월
4.제조국: 대한민국
5.사용연령: 8세 이상

※ KC마크는 이 제품이 공통안전기준에 적합하였음을 의미합니다.

⚠ 주의

종이, 모서리에 다칠 수 있으니 주의하세요!

안쌤의
창의적 문제해결력 시리즈

초등 1~2 학년

초등 3~4 학년

초등 5~6 학년

중등 1~2 학년

안쌤의

줄기과학 시리즈

새 교육과정
3~4학년
학기별
STEAM 과학

3-1 8강 3-2 8강 4-1 8강 4-2 8강

새 교육과정
5~6학년
학기별
STEAM 과학

5-1 8강 5-2 8강 6-1 8강 6-2 8강

새 교육과정
중등 영역별
STEAM 과학

물리학 24강 화학 16강 생명과학 16강 지구과학 16강 물리학 워크북 화학 워크북